LA VOIE ROYALE

DU MÊME AUTEUR

Chez Bernard Grasset.

LES CONQUÉRANTS.
LA VOIE ROYALE.
TENTATION DE L'OCCIDENT.

Chez d'autres éditeurs.

ROYAUME FARFELU.
LA CONDITION HUMAINE.
LE TEMPS DU MÉPRIS.
L'ESPOIR.
ESQUISSE D'UNE PSYCHOLOGIE DU CINÉMA.
SCÈNES CHOISIES.
LES NOYERS D'ALTENBURG.
SATURNE.
PSYCHOLOGIE DE L'ART (Les voix du silence. Le musée imaginaire de la sculpture mondiale. Des bas-reliefs aux grottes sacrées).

ANDRÉ MALRAUX

LES PUISSANCES DU DÉSERT

*

LA VOIE ROYALE

BERNARD GRASSET ÉDITEUR

61, RUE DES SAINTS-PÈRES, VIe

PARIS

PREMIÈRE PARTIE

I

Cette fois, l'obsession de Claude entrait
en lutte : il regardait opiniâtrement le visage
de cet homme, tentait de distinguer enfin
quelque expression dans la pénombre où
le laissait l'ampoule allumée derrière lui.
Forme aussi indistincte que les feux de la côte
somalie perdus dans l'intensité du clair de
lune où miroitaient les salines... Un ton de
voix d'une ironie insistante qui lui semblait
se perdre aussi dans l'obscurité africaine,
y rejoindre la légende que faisaient rôder
autour de cette silhouette confuse les passagers avides de potins et de manilles, la trame
de bavardages, de romans et de rêveries qui
accompagne les blancs qui ont été mêlés à
la vie des états indépendants d'Asie.

« Les hommes jeunes comprennent mal...
comment dites-vous ?... l'érotisme. Jusqu'à
la quarantaine, on se trompe, on ne sait pas

se délivrer de l'amour : un homme qui pense, non à une femme comme au complément d'un sexe, mais au sexe comme au complément d'une femme, est mûr pour l'amour : tant pis pour lui. Mais il y a pis; l'époque où la hantise du sexe, la hantise de l'adolescence, revient, plus forte. Nourrie de toutes sortes de souvenirs... »

Claude, sentant l'odeur de poussière, de chanvre et de mouton attachée à ses habits, revit la portière de sacs légèrement relevée derrière laquelle un bras lui avait montré, tout à l'heure, une adolescente noire, nue, (épilée), une éblouissante tache de soleil sur le sein droit pointé; et le pli de ses paupières épaisses qui exprimait si bien l'érotisme, le besoin maniaque, « le besoin d'aller jusqu'au bout de ses nerfs » disait Perken... Celui-ci continuait :

« — ... Ils se transforment, les souvenirs... L'imagination, quelle chose extraordinaire! En soi-même, étrangère à soi-même... L'imagination.. Elle compense toujours... »

Son visage accentué sortait à peine de la pénombre, mais la lumière luisait entre ses lèvres, sur le bout de sa cigarette, doré sans doute. Claude sentait que ce qu'il pensait approchait peu à peu de ses paroles, comme cette barque qui venait à lentes foulées, le

reflet des feux du bateau sur les bras parallèles des rameurs :

— Que voulez-vous dire exactement ?

— Vous comprendrez de vous-même, un
jour ou l'autre... les bordels somalis sont
pleins de surprises... »

Claude connaissait cette ironie haineuse
qu'un homme n'emploie guère qu'à l'égard
de soi-même ou de son destin.

« Pleins de surprises », répéta Perken.

« Lesquelles ? » se demandait Claude. Il
revoyait les taches des lampes à pétrole
entourées d'insectes, les filles au nez droit,
sans rien qui appelât le mot « négresse »,
sinon le blanc éclatant de l'œil entre la prunelle et la peau sombre ; soumises à la flûte
d'un aveugle, elles avançaient en rond, chacune frappant avec rage la croupe trop forte
de celle qui la précédait. Et, d'un coup, leur
ligne se rompant avec la mélodie ; chacune,
soutenant de la voix la note charnelle de la
flûte, s'arrêtant, la tête et les épaules immobiles, les yeux fermés, tendue, se libérant
en faisant vibrer sans fin les muscles durs
de ses fesses et de ses seins droits dont
la sueur accentuait le frémissement sous la
lampe à pétrole... La patronne avait poussé
vers Perken une fille toute jeune, qui souriait.

« Non, dit-il ; l'autre, là-bas. Au moins ça n'a pas l'air de l'amuser. »

« Sadique ? » se demandait maintenant Claude. On parlait des missions que le Siam lui avait confiées auprès des tribus insoumises, de son organisation du pays shan et des marches laotiennes, de ses rapports singuliers avec le gouvernement de Bangkok, tantôt cordiaux, tantôt menaçants ; de la passion qu'on lui prêtait naguère pour sa domination, pour cette puissance sauvage sur laquelle il ne permettait pas le moindre contrôle, de son déclin, de son érotisme ; pourtant, sur ce bateau, il eût été entouré de femmes, s'il ne s'en fût défendu. « Il y a quelque chose, mais ce n'est pas le sadisme... »

Perken reposa sa tête sur le dossier de sa chaise longue : son masque de brute consulaire apparut en pleine lumière, accentué par l'ombre des orbites et du nez. La fumée de sa cigarette monta, droite, se perdit dans l'intensité de la nuit.

Le mot sadisme, resté dans l'esprit de Claude, y appela un souvenir.

« Un jour, on me mène, à Paris, dans un petit bordel minable. Au salon il y avait une seule femme, attachée sur un chevalet par des cordes, un peu Grand-Guignol, les jupes relevées...

— De face ou de dos?

— De dos. Autour, six ou sept types : petits bourgeois à cravates toutes faites et vestons d'alpaga (c'était en été, mais il faisait moins chaud qu'ici...) les yeux hors de la tête, les joues cramoisies, s'efforçant de faire croire qu'ils voulaient *s'amuser*... Ils s'approchaient de la femme, l'un après l'autre, la fessaient — une seule claque chacun — payaient et s'en allaient, ou montaient au premier étage...

— C'était tout?

— Tout. Et très peu montaient : presque tous partaient. Les rêves de ces bonshommes qui repartaient en remettant leur canotier, en tirant les revers de leur veston...

— Des simples, tout de même...

Perken avança le bras droit, comme pour accompagner d'un geste une phrase, mais hésita, luttant contre sa pensée.

— L'essentiel est de *ne pas connaître* la partenaire. Qu'elle soit : l'autre sexe.

— Qu'elle ne soit pas un être qui possède une vie particulière?

— Dans le masochisme plus encore. Ils ne se battent jamais que contre eux-mêmes... A l'imagination on annexe ce que l'on peut,

et non ce que l'on veut. Les plus stupides
des prostituées savent combien l'homme qui
les tourmente, ou qu'elles tourmentent, est
loin d'elles : savez-vous comment elles appellent les irréguliers ? Des cérébraux...

Claude pensa que le mot : irréguliers, lui
aussi... Il ne quittait plus du regard ce
visage tendu. Cette conversation était-elle
orientée ?

— Des cérébraux, reprit Perken. Et elles
ont raison. Il n'y a qu'une seule « perversion
sexuelle » comme disent les imbéciles : c'est
le développement de l'imagination, l'inap-
titude à l'assouvissement. Là-bas, à Bangkok, j'ai connu un homme qui se faisait
attacher, nu, par une femme, dans une chambre obscure, pendant une heure...

— Eh bien ?

— C'est tout ; c'était suffisant. Celui-là
était un « perverti » parfaitement pur...

Il se leva. « Veut-il dormir, se demanda
Claude, ou rompre cette conversation ?... »
A travers la fumée qui montait, Perken s'éloignait, enjambant l'un après l'autre les négril-
lons qui dormaient entre les paniers de
coraux, la bouche ouverte, rose. Son ombre
se raccourcissait ; celle de Claude resta seule
allongée sur le pont. Ainsi, son menton
avançant semblait presque aussi vigoureux

que les mâchoires de Perken. L'ampoule bougea, et l'ombre commença à trembler : dans deux mois, que resterait-il de cette ombre, et du corps qu'elle prolongeait? Forme sans yeux, sans ce regard résolu et anxieux qui l'exprimait bien plus, ce soir, que cette silhouette virile qu'allait traverser le chat du bord. Il avança la main : le chat s'enfuit. L'obsession retomba sur lui.

Encore quinze jours de cette avidité; quinze jours à attendre sur ce bateau, avec une angoisse d'intoxiqué privé de sa drogue. Il sortit une fois de plus la carte archéologique du Siam et du Cambodge; il la connaissait mieux que son visage... Il était fasciné par les grandes taches bleues dont il avait entouré les Villes mortes, par le pointillé de l'ancienne Voie Royale, par sa menaçante affirmation : l'abandon en pleine forêt siamoise. « Au moins une chance sur deux d'y claquer... » Pistes confuses avec des carcasses de petits animaux abandonnés près de feux presque éteints, fin de la dernière mission en pays Jaraï : le chef blanc, Odend'hal, assommé à coups d'épieux, la nuit, par les hommes du Sadète du feu, dans le bruissement de palmes froissées qui annonçait l'arrivée des éléphants de la mission... Combien de nuits devrait-il veiller, exténué,

harcelé de moustiques, ou s'endormir en
se fiant à la vigilance de quelque guide ?...
On a rarement la chance de combattre...
Perken connaissait ce pays, mais n'en parlait pas. Claude avait été séduit d'abord
par le ton de sa voix (c'était la seule personne du bateau qui prononçât le mot :
énergie, avec simplicité) ; il y devinait que
cet homme aux cheveux presque gris aimait
bien des choses qu'il aimait aussi. Il l'avait
entendu, pour la première fois, devant un
grand pan rouge de la côte d'Égypte, conter
dans un remous d'intérêt et d'hostilité la
découverte de deux squelettes (des pilleurs
de sépultures sans doute) trouvés lors des
dernières fouilles de la Vallée des Rois sur
le sol d'une salle souterraine d'où partaient
des galeries tapissées à l'infini de momies
de chats sacrés. Une expérience assez res-
treinte avait suffi à lui montrer que les
imbéciles sont aussi nombreux parmi les
aventuriers qu'ailleurs, mais cet homme l'intri-
guait. Depuis, il l'avait entendu parler de
Mayrena, l'éphémère roi des Sedangs :

« Je pense que c'était un homme avide
de jouer sa biographie, comme un acteur
joue un rôle. Vous, Français, vous aimez ces
hommes qui attachent plus d'importance à...
voyons, oui... à *bien jouer le rôle* qu'à vaincre. »

(Claude se souvint de son père qui, à la Marne, quelques heures après avoir écrit : « Maintenant, mon cher ami, on mobilise le droit, la civilisation et les mains coupées des enfants. J'ai assisté dans ma vie à deux ou trois déferlements d'imbécillité : l'affaire Dreyfus n'était pas mal mais ceci est assurément supérieur aux essais précédents en tous points, et même en qualité », s'était fait tuer avec un grand courage, en service volontaire).

« Cette attitude, reprit Perken, exalte la bravoure, qui fait partie du rôle... Mayrena était très brave... Il a emmené à dos d'éléphant le cadavre de sa petite concubine chame, à travers la forêt insoumise, pour qu'elle pût être ensevelie comme les princesses de sa race (les missionnaires lui avaient refusé leur cimetière)... Vous savez qu'il est devenu roi en combattant deux chefs sedangs au sabre, et il a tenu quelque temps en pays jaraï... ce qui n'est pas très facile...

— Vous connaissez des gens qui ont vécu chez les Jaraï ?

— Moi : huit heures.

— C'est court répondit Claude en souriant.

Perken sortit de sa poche sa main gauche et la mit sous les yeux de Claude, les doigts écartés ; chacun des trois plus grands était creusé d'un sillon profond, en spirale, comme un tire-bouchon.

— Avec les mèches, c'est assez long.

Blessé de sa maladresse, Claude hésita ; mais Perken revenait à Mayrena :

« En somme, il est mort bien mal, comme presque tous les hommes... »

Claude connaissait cette agonie, sous une paillotte de Malaisie : l'homme décomposé par son espoir trompé comme par une tumeur, terrifié par le son de sa voix que répercutaient les arbres géants...

— Pas si mal...

— Le suicide ne m'intéresse pas.

— Parce que ?

— Celui qui se tue court après une image qu'il s'est formée de lui-même : on ne se tue jamais que pour *exister*. Je n'aime pas qu'on soit dupe de Dieu »

Chaque jour la ressemblance que Claude avait pressentie était devenue plus évidente, accentuée par les inflexions de la voix de Perken, par sa façon de dire « ils » en parlant des passagers — et peut-être des hommes — comme s'il eût été séparé d'eux, par son indifférence à se définir socialement. Sous le ton de cette voix, Claude devinait une expérience humaine vaste, quoique peut-être minée en quelques points, et qui s'accordait à merveille à l'expression du regard : pesante, enveloppante, mais d'une singulière fermeté lorsqu'une affirmation tendait un instant les muscles fatigués du visage.

Maintenant, il était presque seul sur le pont. Il ne dormirait pas. Rêver ou lire? Feuilleter pour la centième fois l'*Inventaire*, jeter encore son imagination, comme sa tête contre un mur, contre ces capitales de poussière, de lianes et de tours à visages, écrasées sous les taches bleues des villes mortes? Et malgré la foi têtue qui l'animait, retrouver ces obstacles qui déchiraient sa rêverie, toujours au même endroit, avec une impérieuse constance?

Bal-el-Mandeb : Portes de la Mort.

Pendant chaque entretien avec Perken, les allusions à un passé que Claude ignorait l'irritaient. La familiarité née de leur rencontre à Djibouti — s'il était entré dans cette maison, non dans une autre, c'est qu'il avait entrevu, sous le bras tendu d'une grande négresse drapée de rouge et de noir, la forme confuse de Perken — ne le délivrait pas de la curiosité angoissée qui le poussait vers lui comme s'il eût prophétiquement vu son propre destin : vers la lutte de celui qui n'a pas voulu vivre dans

la communauté des hommes, lorsque l'âge
commence à l'atteindre et qu'il est seul. Le
vieil Arménien avec qui il marchait parfois
le connaissait depuis longtemps, mais il
parlait peu de lui, obéissant à une préméditation inspirée sans doute par la crainte ;
car, s'il était le familier de Perken, il n'était
certainement pas son ami. Et, semblable
au bruit constant des machines sous le bruit
changeant des paroles, l'obsession de la
brousse et des temples revenait, recouvrait
tout, reprenait sur Claude sa domination
anxieuse. Dans le demi-sommeil, comme si
l'Asie eût trouvé en cet homme une puissante complicité, elle ramenait jusqu'aux
rêveries nées des Chroniques : départs d'armées dans l'odeur du soir plein de cigales
avec de molles colonnes de moustiques au-
dessus de la poussière des chevaux, appels
des caravanes au passage des gués tièdes,
ambassades arrêtées par la baisse des eaux
devant des bancs de poissons bleuis par le
ciel criblé de papillons, vieux rois décomposés
par la main des femmes ; et l'autre rêverie,
indestructible : les temples, les dieux de
pierre vernis par les mousses, une grenouille
sur l'épaule et leur tête rongée, à terre, à
côté d'eux...

La légende de Perken, maintenant, rôdait

dans le bateau, passait de chaise-longue à chaise-longue comme l'angoisse ou l'attente de l'arrivée, comme l'ennui malveillant des traversées. Toujours informe. Plus de mystère imbécile que de faits, plus de gens empressés à confier, entendus, derrière le cornet de leur main : « Un type étonnant, vous savez, ét'honnant! » que de gens renseignés. Il avait vécu parmi les indigènes et les avait dominés, dans des régions où beaucoup de ses prédécesseurs avaient été tués, sans doute après des débuts assez illégaux. C'était tout ce qu'on pouvait savoir. Et son efficacité tenait vraisemblablement, pensait Claude, à la persévérance dans l'énergie, à l'endurance, à des qualités militaires unies à un esprit assez large pour s'efforcer de comprendre des êtres très différents de lui, plutôt qu'à telles aventures. Jamais Claude n'avait vu à ce point le besoin de romanesque de ces fonctionnaires qui voulaient en nourrir leurs rêves, besoin contrarié aussitôt par la crainte d'être dupes, d'admettre l'existence d'un monde différent du leur. Ces gens acceptaient tout de la légende de Mayrena — qui était mort — et peut-être de Perken lorsqu'il était loin; ici, ils se défendaient contre son silence, méfiants, avides de se venger par quelque mépris d'une

volonté de solitude parfois nettement expri-
mée. Claude s'était d'abord demandé pourquoi Perken avait accepté sa présence : il
était le seul qui l'admirât, et le comprît
peut-être, sans tenter de le juger. Il tentait
de le comprendre mieux, mais ne pouvait
que malaisément unir les anecdotes roma-
nesques (les tubes à messages envoyés, pendant l'organisation du pays shan, au-delà
du cercle des sauvages révoltés, dans les
cadavres qui descendaient le fleuve — et
jusqu'à des histoires de prestidigitation) à
ce qu'il sentait d'essentiel en cet homme
indifférent au plaisir de jouer sa biographie,
détaché du besoin d'admirer ses actes, et
mû par une volonté profonde dont Claude
sentait souvent l'affleurement, sans parve-
nir à la saisir. Le capitaine, lui aussi, la sentait. « Tout aventurier est né d'un mytho-
mane », disait-il à Claude ; mais l'action précise de Perken, son sens de l'organisation,
son refus de parler de sa vie le surprenaient
à l'extrême :

« Il me fait penser aux grands fonctionnaires de l'*Intelligence Service* que l'Angle-
terre emploie et désavoue à la fois ; mais il
ne finira pas chef d'un bureau de contre-
espionnage, à Londres : il a quelque chose
en plus, il est Allemand...

« — Allemand ou Danois ?

— Danois à cause de la rétrocession du Schleswig imposée par le traité de Versailles. Ça l'arrange : les cadres de l'armée et de la police siamoises sont danois. Oh ! heimatlos, bien entendu !... Non, je ne crois pas qu'il finisse dans un bureau : voyez, il revient en Asie...

— Au service du gouvernement siamois ?

— Oui et non, comme toujours... Il va rechercher un type resté en pays insoumis — resté, disparu, quelque chose comme ça...

— et une chose plus surprenante, c'est que maintenant, il s'intéresse à l'argent... C'est nouveau... »

Un lien singulier s'était formé. Claude y pensait, dès que l'affaiblissement provisoire de l'obsession le rendait au désœuvrement : Perken était de la famille des seuls hommes auxquels son grand-père — qui l'avait élevé — se sentît lié. Lointaine parenté : même hostilité à l'égard des valeurs établies, même goût des actions des hommes lié à la conscience de leur vanité ; mêmes refus, surtout. Les images que Claude entrevoyait de son avenir étaient partagées entre ses souvenirs et cette présence qui le requéraient comme une double menace, comme les deux affirmations parallèles d'une prophétie. Dans les conversations qu'il avait avec Per-

ken il ne pouvait opposer à l'expérience, aux
souvenirs de son interlocuteur qu'une lec-
ture assez étendue, et il en était venu à
parler de son grand-père comme Perken
parlait de sa vie, pour ne pas opposer sans
cesse des livres à des actes, pour bénéficier
de l'intérêt singulier que Perken portait à
cette existence ; d'ailleurs, que Perken par-
lât de lui-même et il faisait surgir en Claude
l'impériale blanche du grand-père, son dégoût
du monde, les amers récits de sa jeunesse.
Sa jeunesse, cet homme fier à la fois de ses
ancêtres corsaires perdus au fond de légendes et de son grand-père déchargeur de
navires, fier de frapper du pied le pont de
ses bateaux comme un paysan de flatter ses
bêtes, l'avait vouée à édifier cette Maison
Vannec par quoi il entendait durer. A trente-
cinq ans, il s'était marié : douze jours après
les noces, sa femme retournait chez ses
parents. Son père ne voulut pas la voir ; sa
mère avait conclu, avec un désespoir usé :
« Va, ma petite fille, tout ça... du moment
qu'on a des enfants... » Et elle avait retrouvé
l'hôtel ancien qu'il avait acheté pour elle :
porte cochère surmontée d'attributs mari-
times, cour immense où séchaient des voiles.
Elle avait décroché les portraits de ses parents, les avait remplacés par un petit cru-

cifix et jetés sous le lit. Son mari n'avait
rien dit; pendant plusieurs jours, aucun d'eux
ne parla. Puis la vie commune recommença.
Héritiers d'une tradition de travail, haïssant
tout romanesque, la rancœur qu'avait fait
naître en eux ce premier malentendu ne se
traduisit pas par des conflits : ils firent dans
leur vie la part d'une hostilité tacite, comme,
infirmes, ils eussent fait la part de leur infir-
mité. Chacun, malhabile à exprimer ses sentiments, pour prouver sa supériorité s'attacha au travail; l'un et l'autre trouvèrent là
un refuge et une passion sournoise. La présence des petits enfants mêlait à leur vieille
hostilité un lien qui la rendait plus douloureuse. Chaque bilan recélait de nouvelles
forces de haine : lorsque marins, mousses,
ouvriers couchés ou partis, la nuit venue
sur l'hôtel et sur les voiles brunes de la cour,
quelque heure tardive sonnait, il n'était pas
rare que l'un, penché à sa fenêtre, aperçût
de la lumière à la fenêtre de l'autre, et, bien
qu'exténué, s'attachât à quelque nouveau
travail. Elle était phtisique, avec indifférence;
et chaque année il travaillait davantage, afin
que sa lampe ne fût point éteinte avant celle
de sa femme, qui restait allumée fort avant
dans la nuit.

Un jour, il s'aperçut que le crucifix avait

rejoint, sous le lit, les portraits des parents.

Déconcerté de souffrir, non seulement par
la mort de ceux qu'il aimait, mais encore par
celle d'une femme qu'il n'aimait pas, il
supporta sa mort, lorsqu'elle arriva, avec une
résignation écœurée. Il avait de l'estime pour
sa femme ; il savait qu'elle avait été malheu-
reuse. Ainsi allait la vie. Ce fut son dégoût,
plus encore que cette mort, qui amena le
déclin de la maison. Lorsque les compagnies
d'assurances, après le naufrage de sa flotte
presque entière, au large de Terre-Neuve,
refusèrent de payer ; lorsqu'il eût passé tout
un jour à distribuer aux veuves les piles de
billets aussi nombreuses que ses marins
morts, avec le plus profond dégoût de l'argent qu'il eût connu, il se sépara de ses
entreprises ; et les procès commencèrent.

Procès sans nombre et sans fin. Saisi, à
l'égard des vertus respectées, d'une hostilité
qui depuis longtemps couvait, le vieillard
accueillit dans la cour aux voiles des cirques
auxquels la municipalité refusait l'hospitalité, et la vieille bonne ouvrit à deux battants,
pour l'éléphant, la porte dont nulle voiture
n'avait franchi le seuil depuis des années.
Seul dans la vaste salle à manger, assis
dans un fauteuil à torsades, buvant à petits

coups un verre de son meilleur vin, il appelait ses souvenirs, un à un, en tournant les
pages de ses livres de comptes...

Avec leur vingtième année, les enfants
avaient quitté la maison de plus en plus
silencieuse ; silencieuse jusqu'à ce que la
guerre y amenât Claude. Son père tué, sa
mère, qui avait quitté son mari depuis longtemps, vint voir l'enfant. De nouveau, elle
vivait seule. Le vieux Vannec l'avait accueillie ;
il avait si bien pris l'habitude de mépriser
les actions des hommes, qu'il les enveloppait
toutes dans une même indulgence haineuse.
Le soir, il l'avait retenue, indigné à l'idée
que, lui vivant, sa belle-fille pût habiter un
hôtel, dans *sa* ville : il savait d'expérience
que l'hospitalité n'empêche pas la rancune.
Ils avaient causé, ou plutôt, elle avait parlé :
une femme abandonnée, obsédée par son
âge jusqu'à la torture, certaine de sa déchéance,
et qui considérait la vie avec une indifférence désespérée. Quelqu'un avec qui il
pouvait vivre... Elle était ruinée, sinon pauvre. Il ne l'aimait guère, mais il subissait
l'influence d'un étrange esprit de corps :
elle était, comme lui, séparée de la communauté des hommes qui demande tant d'acceptations stupides ou sournoises ; la cousine, trop vieille maintenant, dirigeait mal la

maison... Il lui avait conseillé de rester, et
elle avait accepté.

Fardée pour la solitude, les portraits des
anciens propriétaires et les attributs mari-
times, fardée surtout pour les glaces contre
lesquelles elle ne savait se défendre que
par les rideaux croisés et les artifices du demi-
jour, elle était morte d'un retour d'âge prématuré, comme si son angoisse eût été une
prescience. Il avait accepté cette mort avec
une approbation sinistre : « On ne change
pas de religion à mon âge... » Que la destinée
achevât ainsi le tissu de stupidité dont elle
avait fait sa vie : c'était bien. Dès lors, il
ne quitta plus guère le mutisme hostile
dans lequel il se confinait que pour entre-
tenir Claude. Poussé par un subtil égoïsme
de vieillard, il avait presque toujours laissé
à la vieille cousine, à la mère ou aux profes-
seurs le soin de punir l'enfant, si bien qu'à
Dunkerque (et même plus tard, lorsque,
étudiant à Paris, l'adolescent connut ses
oncles) sa pensée avait toujours semblé à
Claude d'une singulière liberté. Dans ce
vieil homme simple, grandi par les morts
qui l'entouraient et par la lumière tragique
dont la mer colore les vies qui lui ont été
vouées, il y avait un Ecclésiaste inculte, mais
qui ne craignait pas le Seigneur; certaines

des phrases par lesquelles il traduisait sa
lourde expérience résonnaient en Claude
comme le grondement assourdi de la petite
porte de l'hôtel, solitaire maintenant dans la
rue déserte et qui le soir le séparait du monde.
Quand, après le dîner, le grand-père parlait,
la pointe de sa barbe touchant sa poitrine,
ses paroles méditées troublaient Claude, qui
s'en défendait, comme des paroles venues,
à travers le temps ou la mer, de contrées
habitées par des hommes qui eussent connu,
mieux que tous les autres, le poids, l'amertume et la force obscure de la vie. « Une
mémoire, mon petit, c'est un sacré caveau
de famille ! Vivre avec plus de morts que
de vivants... Les nôtres, je les connais bien :
en tous — en toi aussi — il y a la même
nature. Et quand ils n'en veulent pas... tu
sais qu'il y a des crabes qui nourrisent
maternellement, sans s'en douter, les para-
sites qui les rongent ?... Être un Vannec,
ça veut dire quelque chose, en bien comme
en mal... »

Quand Claude était parti poursuivre ses
études à Paris, le vieillard avait pris l'habitude d'aller chaque jour au mur des marins
perdus en mer ; il enviait leur mort, et
accordait avec joie sa vieillesse et ce néant.
Un jour qu'il avait voulu montrer à un jeune

ouvrier trop lent comment, de son temps,
on fendait le bois des proues, pris d'un
étourdissement à l'instant qu'il manœuvrait
la hache à deux tranchants, il s'était fendu le
crâne. Et Claude, en face de Perken, retrouvait le goût, l'hostilité, le lien passionné qui
l'avaient attaché à ce vieillard de soixante-
seize ans décidé à ne pas oublier sa maî-
trise passée et qui était mort ainsi, dans
sa maison abandonnée, d'une mort de vieux
Viking. Comment finirait-il, celui-là? Il lui
avait répondu un jour, devant l'Océan : « Je
pense que votre grand-père était moins signi-
ficatif que vous ne le croyez, mais que vous
l'êtes, vous, bien davantage... » Comme si
tous deux se fussent exprimés par paraboles,
ils s'approchaient de plus en plus l'un de
l'autre, cachés sous les souvenirs.

Brouillard rayé, la pluie enveloppait le
bateau. Le long triangle du phare de Colombo
ramait dans la nuit, au-dessus d'une ligne de
points : les docks. Les passagers réunis sur
le pont regardaient au delà du bastingage
ruisselant le tremblotement de toutes ces
lumières; à côté de Claude, un gros homme
aidait l'Arménien — courtier en pierres qui

venait acheter à Ceylan les saphirs qu'il
vendrait à Chang-Haï, — à disposer ses
valises. Perken, à quelque distance, causait
avec le capitaine; ainsi, de trois quarts, le
caractère de son visage devenait moins masculin, lorsqu'il souriait surtout.

— Vous regardez sa bobine, aux Chang,
dit le gros homme. Comme ça, il a l'air
d'un brave type...

— Comment l'appelez-vous?

— C'est les Siamois qui l'appellent comme
ça. L'éléphant, que ça veut dire, pas l'éléphant domestique, l'autre. Physiquement, ça
lui va plutôt mal, mais moralement, ça lui
va bien...

Le coup de fouet du phare les éclaira
tous. La tache du foyer, une seconde, devint
éblouissante puis replongea dans la nuit,
ne laissant dans les lumières du paquebot où
les gouttes étincelaient en tourbillons qu'un
voilier arabe de haut bord, sculpté de la
proue à la poupe, immobile et désert, isolé
au milieu des masses d'ombre. Perken venait
de faire deux pas en avant; d'instinct, le
gros homme baissa la voix. Claude sourit.

« Oh! il ne me fait pas peur, bien sûr!
J'ai vingt-sept ans de colonie. Pensez! Mais
il... il m'intimide, si je peux dire. Pas vous?

— C'est très bien, de faire ça au mépris,

répondit l'Arménien, — pas très haut — mais
ça ne réussit pas toujours...

— Vous savez très bien le français...

Il se vengeait d'une humiliation, sans
doute; avait-il attendu, pour le faire, d'être
à l'instant de quitter le bateau? Sa voix
n'était pas ironique, mais pleine de rancune.

Perken s'écartait de nouveau.

— Je suis de Constantinople... et de Mont-
martre par mes vacances. Non, Monsieur,
ça ne réussit pas toujours...

Et se tournant vers Claude :

« Vous en aurez vite assez, comme les
autres... Pour ce qu'il a fait, lui!... Mais
s'il avait eu des connaissances techniques, je
dis : techniques, Monsieur, avec sa position,
quand il tenait le pays pour le Siam, il aurait
pu faire une fortune qui... enfin, je ne sais
pas, moi, une fortune... »

Des deux bras agités il figurait un cercle,
cachant un instant les lumières de la terre,
plus nombreuses et plus proches maintenant,
mais moins précises, comme si elles fussent
devenues humides, spongieuses elles aussi.

« Songez que, dans les marchés siamois,
à douze, quinze jours des villages insoumis,
vous trouvez encore, si vous êtes malin, si
vous savez faire le commerce avec eux, des

rubis à des prix...! Vous ne pouvez pas vous
rendre compte, vous, parce que vous n'êtes
pas de la partie... Ça vaut tout de même
mieux que d'aller échanger des bijoux tra-
vaillés, mais en Fix, contre des bijoux mas-
tocs, mais en or!... Même à vingt-trois ans!
(Cette affaire n'était même pas de lui, d'ailleurs : un blanc l'a faite avec le roi de Siam
il y a une cinquantaine d'années) mais il
voulait à toute force aller chez eux; étonnant qu'ils ne l'aient pas zigouillé dès ce
moment-là! Il a toujours voulu faire le chef.
Comme je vous le disais, il y a des jours où
ça ne réussit pas; ils le lui ont bien fait voir
en Europe. Deux cent mille francs! Trouver
deux cent mille francs comme ça, pas si
facile que de jouer les seigneurs! (Pourtant,
il n'y a pas à dire, il en impose aux indigènes...)

— Il a besoin d'argent?

— Pas pour vivre, bien sûr, surtout là
haut... »

Les chaloupes accostaient, chargées d'In-
diens qui tordaient en montant leurs tur-
bans trempés, et de fruits. L'Arménien suivit l'envoyé d'un hôtel.

« Il a besoin d'argent... » se répétait
Claude.

— Pour ça, le macaque a raison, reprit

le gros homme ; c'est pas la vie qui peut
coûter cher, là-haut !...

— Vous êtes forestier ?

— Chef de poste. »

L'obsession envahit Claude une fois de
plus, comme une crise de fièvre : il pouvait
interroger cet homme sur le terrible jeu
auquel il allait lier sa vie.

— Avez-vous voyagé avec des charrettes ?

— Bien sûr, que j'ai travaillé avec des
charrettes, vous pensez !

— Combien peuvent-elles réellement porter ?

— C'est petit, hein ! faut des objets
lourds...

— Des pierres, par exemple...

— Ben, le poids réglementaire, la charge,
quoi, c'est soixante kilogs.

Si ce poids n'était pas imposé seulement
par une de ces lois coloniales qui n'existent
qu'aux yeux des administrateurs, il fallait
renoncer aux charrettes. L'abandon en forêt
inconnue le suivait donc jusqu'ici. Faire
porter à dos d'homme, pendant un mois,
des blocs de deux cent kilogs ? Impossible.
Les éléphants ?

« Les éléphants, jeune homme, j'vais
vous dire : c'est une question d'astuce.

Les gens croient que l'éléphant est délicat.
C'est pas vrai : l'éléphant n'est pas délicat.
La difficulté, c'est que la bête veut ni bran-
cards, ni sangles, ça la chatouille. Alors,
qu'est-ce que vous faites ? Hein ?

— Moi, je vous écoute.

Débonnaire, le gros homme posa la main
sur le bras de Claude.

— Vous prenez un pneu d'auto, un pneu
Michelin quelconque. Et puis, vous le pas-
sez au cou de l'éléphant, comme un rond
de serviette. Bon. Et puis, vous attachez vos
machins au pneu... Pas plus difficile que ça.
C'est doux le caoutchouc, vous comprenez...

— Peut-on avoir des éléphants pour la
région Extrême-Nord d'Angkor ?

— Extrême-Nord ?

— Oui.

Un instant de silence.

— Jusqu'au delà des Dang Rek ?

— Jusqu'à la Sé-Moun.

— Un blanc qui tente ça sans camarade
est foutu.

— Peut-on avoir des éléphants ?

— Enfin, ça vous regarde... Des éléphants, ça m'étonnerait, primo. Les indigènes, ça ne leur dira rien d'aller se prome-
ner par là ; vous avez beaucoup de chances
de tomber chez les Moïs insoumis, ce

qui n'est pas drôle ; et puis les indigènes
des derniers villages sont impaludés jusqu'au gâtisme, les paupières bleues comme
si on cognait dessus depuis huit jours, capa-
bles de rien. Ensuite, si vous vous faites
piquer, ce qui ne manque jamais, vous pouvez dire que ça n'est pas par de bons mous·
tiques : ah ! les vaches !... Et puis... enfin,
pour aujourd'hui on peut s'en tenir là...
Venez-vous faire un tour ? Voilà la cha-
loupe...

— Non. »

Il suivait sa pensée :

« S'il a besoin d'argent, ce n'est pas pour
vivre, surtout là-haut... » Sans aucune doute.
Pour quoi ? Bien plus que la menace de la
forêt, cette légende malveillante, non sans
grandeur, désagrégeait comme un ferment,
comme cette nuit même, ce qui était pour
Claude le réel. Chaque fois que la sirène
de l'un des bateaux illuminés appelait les
canots, longuement portée par l'air saturé
de la rade, la ville se perdait davantage,
achevait de se diluer dans la nuit de l'Inde.
Ses dernières pensées d'Occident se noyaient
dans cette atmosphère fantastique et provisoire ; d'un grand mouvement adouci, le
vent qui apportait la fraîcheur à ses paupières donnait à Perken un relief qui n'était

plus celui de la singularité, mais de l'adaptation. Comme tous ceux qui s'opposent au monde, Claude cherchait d'instinct ses semblables, et les voulait grands; en l'occurrence, il ne craignait pas d'être dupe de lui-même. Si cet homme désirait de l'argent, ce n'était pas pour collectionner des tulipes. Sous les histoires qu'il avait contées, l'argent glissait pourtant comme, en cet instant, le crissement assourdi des cigales sous le silence... Le capitaine, lui aussi, avait dit : « Maintenant, il s'intéresse à l'argent... »

Et le chef de poste :

« Un blanc qui tente de passer seul par là est foutu... »

Un blanc qui tente de passer seul par là est foutu...

A cette heure, Perken était sans doute au bar.

II

Claude n'eut pas à le chercher ; assis devant l'une des tables de rotin que les serveurs avaient disposées sur le pont, il tenait d'une main une coupe posée sur la nappe, mais, le dos tourné, l'autre main appuyée au bastingage, il semblait regarder les lumières qui au fond de la rade tremblaient toujours dans le vent.

Claude se sentit maladroit.

— Ma dernière escale ! dit Perken en montrant les lumières de sa main libre.

C'était la gauche : éclairée d'un seul côté par le paquebot, elle apparut un instant sur le ciel maintenant lavé et plein d'étoiles, avec un puissant relief, chacune de ses entailles changée en courbe noire. Il se tourna tout à fait vers Claude, que surprit l'expression d'abat tement de son visage ; la main disparut.

« Nous partons dans une heure... Au fait, que veut dire arriver, pour vous ?

— Agir au lieu de rêver. Et pour vous ? »

Perken fit un geste comme pour écarter la question. Il répondit néanmoins :

— Perdre du temps... »

Claude l'interrogeait du regard ; il ferma les yeux. « Ça s'annonce mal » pensa le jeune homme. « Essayons autrement » :

— Vous remontez chez les insoumis ?

— Ce n'est pas ce que j'appelle perdre mon temps : au contraire.

Claude cherchait toujours. Il répondit, presque au hasard :

— Au contraire ?

— Là-haut, j'ai trouvé presque tout.

— Sauf de l'argent, n'est-ce pas ?

Perken le regarda avec attention, sans répondre.

« Et s'il y en avait, *là-haut* » ?

— Allez le chercher !

— Peut-être... »

Claude hésita ; des chants graves, dans le lointain, montaient d'un temple, coupés par le klaxon de quelque auto perdue.

« Il y a dans la forêt — du Laos à la mer — pas mal de temples inconnus des Européens...

— Ah ! les dieux en or ? Je vous en prie !...

— Bas-reliefs et statues — pas en or du tout — ont une valeur considérable...

Il hésita encore.

« Vous souhaitez trouver deux cent mille francs, n'est-ce pas?

— C'est de l'Arménien que vous tenez cela? Je n'en fais pas mystère, d'ailleurs. Il y a aussi les tombeaux des Pharaons, quoi encore?

— Croyez-vous, monsieur Perken, que j'aille chercher les tombeaux des Pharaons au milieu des chats?

Perken parut réfléchir. Claude le regardait, découvrant que l'état-civil, que les faits, sont aussi impuissants contre la puissance de certains hommes que contre le charme d'une femme. Les histoires de bijoux, la biographie de cet homme, en ce moment, n'existaient pas. Il était si réel, là, debout, que les actes de sa vie passée se séparaient de lui comme des rêves. Des faits, Claude ne retiendrait que ceux qui s'accordaient à ses sentiments... Allait-il enfin répondre?

— Marchons, voulez-vous?

Ils firent quelques pas en silence. Perken regardait toujours les lumières jaunes du port, immobiles sous les étoiles plus claires. L'air, malgré la nuit, collait à la peau de Claude comme une main molle dès qu'il se taisait. Il tira une cigarette

d'un paquet, mais irrité aussitôt par la nonchalance de son geste, il la jeta à la mer.

— J'ai rencontré des temples, dit enfin
Perken... Tous ne sont pas ornés, d'abord.

— Non. Mais beaucoup.

— Cassirer, à Berlin, m'a payé cinq
mille marks-or les deux bouddhas que m'avait
donné Damrong... Mais chercher des monuments ! Autant chercher des trésors, comme
les indigènes...

— Si vous étiez certain que cinquante
trésors ont été enfouis le long d'un fleuve,
entre deux lieux précis, à six cents mètres
l'un de l'autre, par exemple — les cherche-
riez-vous ?

— Le fleuve manque.

— Non. Voulez-vous aller chercher les
trésors ?

— Pour vous ?

— Avec moi, à égalité.

— Le fleuve ?

Le demi-sourire de Perken irritait Claude
à l'extrême.

— Venez voir.

Dans le couloir qui les conduisait à la
cabine de Claude, Perken posa sa main sur
l'épaule du jeune homme.

— Vous m'avez insinué hier que vous étiez
en train de jouer votre dernier enjeu. C'est

à ce dont vous venez de parler que vous faisiez allusion?

— Oui.

Claude croyait trouver la carte étendue sur sa couchette, mais le garçon l'avait pliée. Il l'ouvrit.

— Voici les lacs. Tous ces petits points rouges accumulés autour : les temples. Ces taches éparses : d'autres temples.

— Ces taches bleues?

— Les villes mortes du Cambodge. Explorées déjà. A mon avis il y en a d'autres, mais passons. Je reprends : vous voyez que les points rouges des temples sont nombreux à l'origine de ma ligne noire, et suivent sa direction.

— C'est?

— La Voie Royale, la route qui reliait Angkor et les lacs au bassin de la Ménam. Aussi importante jadis que la route du Rhône au Rhin au moyen âge.

— Les temples suivent cette ligne jusqu'à...

— Le patelin n'a pas d'importance : jusqu'à la limite des régions *réellement* explorées. Je dis qu'il suffit de suivre, à la boussole, le trajet de l'ancienne Voie pour retrouver des temples : si l'Europe était recouverte par la brousse, il serait absurde de penser qu'en **allant de** Marseille à Cologne par le Rhône

et le Rhin on ne trouverait pas de ruines
d'églises... Et n'oubliez pas que, pour la
région explorée, ce que j'avance est vérifiable
— et vérifié. — Les récits des voyageurs anciens le disent...

Il s'arrêta pour répondre au regard de
Perken :

— (Je ne tombe pas du ciel, mais des
Langues Orientales : le sanscrit n'est pas
toujours inutile.) Les administrateurs qui se
sont aventurés par là, à quelques dizaines de
kilomètres de la région topographiée, le con-
firment.

— Vous croyez être le premier à interpréter
ainsi cette carte?

— Le service géographique ne s'occupe
guère d'archéologie.

— L'Institut français?

Claude ouvrit l'*Inventaire* à une page mar-
quée; diverses phrases étaient soulignées :
*Il reste à relever les monuments qui se trouvaient
en dehors de nos itinéraires... Nous ne préten-
dons certes pas que nos listes soient définitive-
ment closes...*

« C'est le compte rendu de la dernière
grande mission archéologique.

Perken regardait la date.

— 1908?

— Rien d'important entre 1908 et la guerre.

Depuis, des explorations de détail. Et tout cela est du premier travail. Des recoupements me permettent d'être assuré que la longueur que l'on donne ici aux unités de mesure des voyageurs anciens doit être rectifiée : il faudra contrôler, le long de la Voie, plusieurs affirmations que l'on traite de légendes, et qui sont pleines de promesses... Et nous ne parlons que du Cambodge : vous savez qu'au Siam, on n'a rien fait. »

Une réponse, au lieu de ce silence !

« A quoi songez-vous ?

— La boussole peut donner une indication générale ; vous comptez ensuite sur les indications des indigènes ?

— De ceux dont les villages sont peu éloignés de l'ancienne Voie, oui.

— Peut-être... Au Siam surtout, je sais assez bien le siamois pour qu'ils parlent. J'ai moi-même rencontré de ces temples... Ce sont d'anciens temples brahmaniques, n'est-ce pas ?

— Oui.

— Donc, aucun fanatisme, nous serions toujours parmi les bouddhistes... Le projet n'est peut-être pas si fantaisiste... Vous connaissez bien cet art ?

— Je n'étudie plus que lui depuis un bon moment.

— Depuis... Quel âge avez-vous, au fait ?

— Vingt-six ans.

— Ah...

— J'ai l'air plus jeune, oui, je sais.

— Ce n'était pas de l'étonnement, c'était...
de l'envie...

Le ton n'était pas ironique.

« L'administration française n'aime guère...

— Je suis chargé de mission. »

L'étonnement empêcha Perken de répondre aussitôt.

— Je comprends de mieux en mieux...

— Oh ! mission gratuite ! Nos ministères
n'en sont pas avares.

Claude revoyait le chef de bureau courtois
et pompeux, les couloirs déserts où des
rayons de soleil s'écrasaient sur des cartes
ingénues où des bourgades — Vien-Tiane,
Tombouctou, Djibouti — régnaient au centre
de grands cercles roses, semblables à des
capitales ; l'ameublement de comédie, grenat
et or...

— Rapports avec l'Institut d'Hanoï et
bons de réquisition, je vois, reprit Perken.
Peu de chose, mais tout de même...

Il regardait de nouveau la carte.

— Transport : charrettes.

— Ah ! dites-moi : que faut-il penser des
soixante kilos réglementaires ?

— Rien. Aucune importance. De cinquante à trois cents kilos suivant... suivant tout ce que vous rencontrerez. Donc, charrettes. Si, en un mois de recherches, on n'avait rien trouvé...

— Invraisemblable. Vous savez bien que les Dang-Rek, en fait, sont inexplorés...

— Moins que vous ne le croyez.

— ... et que les indigènes connaissent les temples. Comment, moins que je ne le crois ?

— Nous y reviendrons...

Il se tut un instant.

« L'administration française, je la connais. Vous n'êtes pas des siens. Elle créera des obstacles, mais ce danger n'est pas grand... L'autre l'est davantage, même à deux.

— L'autre ?

— Celui d'y rester.

— Les Moïs ?

— Eux, la forêt, la fièvre des bois.

— C'est ce que je pensais.

— N'en parlons donc plus : moi, j'ai habitude... Parlons d'argent.

— C'est bien simple : un petit bas-relief, une statue quelconque, valent une trentaine de mille francs.

— Francs-or ?

— Vous êtes trop gourmand.

— Tant pis. Il m'en faut dix au moins. Dix pour vous : vingt.

— Vingt pierres.

— Évidemment, ce n'est pas le diable...

— Et d'ailleurs, un seul bas-relief, s'il est beau, une danseuse par exemple, vaut au moins deux cent mille francs.

— Il est composé de combien de pierres ?

— Trois, quatre...

— Et vous êtes certain de les vendre?

— Certain. Je connais les plus grands spécialistes de Londres et de Paris. Et il est facile d'organiser une vente publique.

— Facile, mais long ?

— Rien ne vous empêche de vendre directement; j'entends, sans vente publique. Ces objets sont de toute rareté : la grande hausse des objets asiatiques date de la fin de la guerre, et on n'a rien découvert depuis.

— Autre chose : supposons que nous trouvions les temples...

(« Nous » murmura Claude.)

« ... Comment comptez-vous dégager les pierres sculptées ?

— Ce sera le plus difficile. J'ai pensé...

— De gros blocs, si je me souviens bien?

— Attention : les temples khmers sont construits sans ciment ni fondations. Des châteaux de dominos.

— Chaque domino, voyons : cinquante centimètres au carré de section, un mètre de

long... Sept cent cinquante kilos à peu près.
Légers objets !...

— J'ai pensé aux scies de long, pour n'emporter que la face sculptée, sur peu d'épaisseur : impossible. Les scies à métaux, —
plus rapides, — j'en ai. Il faut surtout compter sur le temps qui a fichu presque tout par
terre, sur le figuier des ruines et les incendiai-
diaires siamois qui ont accompli assez bien le
même travail.

— J'ai rencontré plus d'éboulis que de
temples... Et les chercheurs de trésors, eux
aussi, ont passé par là... Jusqu'ici, je ne pensais
guère aux temples qu'en fonction d'eux...

Perken avait abandonné la carte ; il regardait l'ampoule ; Claude se demandait s'il
réfléchissait, car ce regard perdu était presque
d'un rêveur. « Que connais-je de cet homme ? »
pensait-il une fois de plus, frappé par ce
visage d'absent en relief dur sur le lavabo.
Les grands coups lents des machines battaient
le silence, et chacun pesait sur cet adversaire pour lui arracher une acceptation.

— Alors ?

Perken, repoussant la carte, s'assit sur la
couchette.

— Laissons les objections. Ce projet se
défend, toutes réflexions faites — il est vrai
que je ne réfléchissais pas, je rêvais au mo-

ment où j'aurais l'argent... — Je ne prétends pas tenter les choses qui doivent réussir d'elles-mêmes; celles-là, je les manque. Pourtant, comprenez bien que si j'accepte, c'est avant tout parce que je dois aller chez les Moïs.

— Où ?

— Plus au Nord, mais l'un n'empêche pas l'autre. Je ne saurai exactement où je vais qu'à Bangkok : je vais chercher — rechercher — un homme pour qui j'avais une grande sympathie et une grande méfiance... On me remettra à Bangkok l'enquête des miliciens indigènes sur sa disparition, comme ils disent. Je crois...

— Donc, vous acceptez ?

— Oui... qu'il est parti dans la région dont je me suis occupé. S'il est mort, je saurai à quoi m'en tenir. Sinon...

— Sinon ?

— Je ne tiens pas à sa présence... Il gâchera tout...

Le passage de l'un des sujets à l'autre était trop rapide : à peine Claude pouvait-il écouter. Sitôt après l'acceptation, cet homme n'existait pas. Il suivit le regard de Perken : c'était son image, à lui, Claude, que ce regard fixait, mais dans la glace. Son propre front, son menton avançant, il les vit, une

seconde, avec les yeux d un autre. Et c'était
à lui que cet autre pensait :

— Ne répondez que s'il vous plaît de
répondre...

Le regard devint plus précis.

« ...Pourquoi allez-vous tenter cela ?

— Je pourrais vous répondre : parce que
je n'ai presque plus d'argent, ce qui est vrai.

— Il y a d'autres manières d'en gagner. Et
pourquoi en voulez-vous ? De toute évidence,
ce n'es pas pour en jouir.

— (vous ? pensa Claude. Être pauvre
empêch de choisir ses ennemis, répondit-il. Je
me méfie de la petite monnaie de la révolte...

Perken regardait toujours, de ce regard
à la fois appuyé et perdu, plein de souvenirs,
qui faisait songer Claude à celui des prêtres
intelligents ; l'expression en devint plus dure :

— On ne fait jamais rien de sa vie.

— Mais elle fait quelque chose de nous.

— Pas toujours... Qu'attendez-vous de la
vôtre ?

Claude ne répondit pas tout d'abord. Le
passé de cet homme s'était si bien transformé
en expérience, en pensée à peine suggérée,
en regard, que sa biographie en perdait toute
importance. Il ne restait entre eux — pour les
attacher — que ce que les êtres ont de plus
profond.

— Je pense que je sais surtout ce que je n'en attends pas...

— Chaque fois que vous avez dû opter, il se...

— Ce n'est pas moi qui opte : c'est ce qui résiste.

— Mais à quoi ?

Il s'était assez souvent posé lui-même cette question pour qu'il lui pût répondre aussitôt :

— A la conscience de la mort.

— La vraie mort, c'est la déchéance.

Perken maintenant regardait dans la glace son propre visage.

« Vieillir, c'est tellement plus grave ! — Accepter son destin, sa fonction, la niche à chien élevée sur sa vie unique... On ne sait pas ce qu'est la mort quand on est jeune...

Et tout-à-coup, Claude découvrit ce qui le liait à cet homme qui l'avait accepté sans qu'il comprît bien pourquoi : l'obsession de la mort.

Perken prenait la carte.

« — Je vous la rapporterai demain. »

Il serra la main de Claude et sortit.

L'atmosphère de la cabine retomba sur Claude comme la porte d'un cachot. La question de Perken demeurait avec lui, telle un autre prisonnier. Et son objection. Non, il n'y avait pas tant de manières de gagner sa

liberté ! Il avait réfléchi naguère, sans avoir l.
naïveté d'en être surpris, aux conditions d'une
civilisation qui fait à l'esprit une part telle
que ceux qui s'en nourrissent, gavés sans
doute, sont doucement conduits à manger à
prix réduits. Alors ? Aucune envie de vendre
des autos, des valeurs ou des discours, comme
ceux de ses camarades dont les cheveux collés
signifiaient la distinction ; ni de construire des
ponts, comme ceux dont les cheveux mal
coupés signifiaient la science. Pourquoi tra-
vaillaient-ils, eux ? Pour gagner en considération. Il haïssait cette considération qu'ils
recherchaient. La soumission à l'ordre de
l'homme sans enfants et sans dieu est la plus
profonde des soumissions à la mort ; donc,
chercher ses armes où ne les cherchent pas
les autres : ce que doit exiger d'abord de lui-
même celui qui se sait séparé, c'est le courage.
Que faire du cadavre des idées qui dominaient la conduite des hommes lorsqu'ils
croyaient leur existence *utile* à quelque salut,
que faire des paroles de ceux qui veulent
soumettre leur vie à un modèle, ces autres
cadavres ? L'absence de finalité donnée à la
vie était devenue une condition de l'action.
A d'autres de confondre l'abandon au hasard
et cette harcelante préméditation de l'inconnu.
Arracher ses propres images au monde sta-

gnant qui les possède... « Ce qu'ils appellent
l'aventure, pensait-il, n'est pas une fuite,
c'est une chasse : l'ordre du monde ne se
détruit pas au bénéfice du hasard, mais de
la volonté d'en profiter. » Ceux pour qui
l'aventure n'est que la nourriture des rêves,
il les connaissait; (joue : tu pourras rêver);
l'élément suscitateur de tous les moyens de
posséder l'espoir, il le connaissait aussi.
Pauvretés. L'austère domination dont il
venait de parler à Perken, celle de la mort,
se répercutait en lui avec le battement du
sang à ses tempes, aussi impérieuse que
le besoin sexuel. Être tué, disparaître, peu
lui importait : il ne tenait guère à lui-même,
et il aurait ainsi trouvé son combat, à défaut
de victoire. Mais accepter vivant la vanité
de son existence, comme un cancer, vivre
avec cette tiédeur de mort dans la main...
(D'où montait, sinon d'elle, cette exigence
de choses éternelles, si lourdement impré-
gnée de son odeur de chair ?) Qu'était ce
besoin d'inconnu, cette destruction provisoire des rapports de prisonnier à maître, que
ceux qui ne la connaissent pas nomment
aventure, sinon sa défense contre elle? Défense d'aveugle, qui voulait la conquérir
pour en faire un enjeu...

Posséder plus que lui-même, échapper à la

vie de poussière des hommes qu'il voyait chaque jour...

.•.

A Singapour, Perken avait quitté le bateau pour monter à Bangkok. L'accord était conclu. Claude le rejoindrait à Pnom-Penh, après avoir fait viser à Saïgon sa lettre de mission et rendu visite à l'Institut français. Ses premiers moyens d'action allaient dépendre de son accord avec le directeur de cet Institut, hostile aux initiatives comme la sienne.

Un matin — le temps était de nouveau mauvais — il vit, à travers le hublot de sa cabine, des passagers, l'index tendu vers un spectacle. Il se hâta de monter sur le pont. Par une déchirure des nuages accumulés, le soleil projetait une lumière blême qui éclairait, au ras de l'eau décomposée, la côte de Sumatra. Il regarda à l'aide de la jumelle les monstrueuses frondaisons qui dévalaient du sommet des monts jusqu'à la grève, hérissées çà et là de palmes, et noires dans l'étendue sans couleur. De loin en loin, au-dessus des crêtes, brillaient des feux pâles, d'où montaient lourdement des fumées ; plus bas des fougères arborescentes se détachaient en clair

sur des masses d'ombre. Il ne pouvait délivrer son regard des taches dans lesquelles
se perdaient les plantes. Se frayer un chemin
à travers une semblable végétation? D'autres
l'avaient fait, il pourrait donc le faire. A cette
affirmation inquiète, le ciel bas et l'inextricable
tissu des feuilles criblées d'insectes opposaient
leur affirmation silencieuse...

Il regagna sa cabine. Son dessein, tant qu'il
l'avait supporté seul, l'avait retranché du
monde, lié à un univers incommunicable
comme celui de l'aveugle ou du fou, un univers
où la forêt et les monuments s'animaient peu
à peu lorsque son attention se relâchait, hos-
tiles comme de grands animaux... La présence de Perken avait tout ramené à l'humain;
mais il sombrait de nouveau, lucide et tendu,
dans son intoxication d'obsédé. Il rouvrait
ses livres aux pages marquées : « *Les motifs
d'ornementation sont très ruinés par l'humi-
dité constante du sous-bois et le fouettement
des grandes pluies... La voûte est totalement effondrée... Sans doute, trouverait-on
des monuments dans cette région maintenant
à peu près déserte, couverte de forêts-clairières
à travers lesquelles errent des troupeaux d'éléphants et de buffles sauvages... Les blocs de
grès dont les voûtes étaient formées remplis-
sent l'intérieur des galeries d'un chaos inex-*

tricable; cet état de délabrement, particu-
lièrement lamentable, paraît dû à l'emploi
du bois dans la construction... De grands
arbres poussés çà et là sur ces amas, dépas-
sent maintenant le couronnement des murs;
leurs racines noueuses les enferment dans un
réseau à mailles serrées... Le pays est presque
désert... » A l'aide de quoi lutterait-il? Quand
s'accentuait le bruit des machines, il essayait
de se délivrer des deux mots : « L'Institut
français, l'Institut français, l'Institut français »
comme d'une scie. « Je connais ces gens-là,
avait dit Perken, vous n'êtes pas des leurs. »
Évidence. Il prendrait garde. Il savait pourtant
de reste que les hommes devinent ceux qui
refusent leurs acceptations, que l'athée fait
beaucoup plus scandale depuis qu'il n'y a plus
de foi. Son grand-père n'avait vécu que pour
le lui enseigner. Ces gens possédaient les deux
tiers de ses armes...

Se libérer de cette vie livrée à l'espoir et
aux songes, échapper à ce paquebot passif!

III

Devant une fenêtre dont le carré de lumière se plaquait sur des palmes et un mur verdi jusqu'au bleu par les pluies tropicales, Albert Ramèges, directeur de l'Institut français, lissait de la main sa barbe châtain, en regardant entrer monsieur Vannec.

« Le Ministère des Colonies, Monsieur, nous avait informés de votre départ ; j'ai donc appris avec plaisir, hier, votre arrivée, par la communication téléphonique que vous m'avez adressée. Il va sans dire que dans la mesure où nous pouvons vous être utiles, nous sommes à votre disposition : vous trouverez ici, chez tous nos collaborateurs, si vous avez besoin de... conseils, la bienveillance la plus cordiale. Nous mettrons cela au point tout à l'heure.

Il quitta son bureau et vint s'asseoir près de Claude. « La bienveillance commence » pensa celui-ci; le ton de la voix du directeur devint plus familier.

« Je suis content de vous voir ici, cher Monsieur. J'ai lu avec grande attention les intéressantes communications relatives aux arts asiatiques que vous avez publiées l'année dernière. Et aussi — en apprenant votre arrivée, je l'avoue — votre théorie. Je dois dire que j'ai été plus attiré que convaincu par les considérations que vous avez exposées; mais, en vérité, j'ai été intéressé. L'esprit de votre génération est curieux...

— Je posais ces idées pour... (il pensa : déblayer, et hésita) pour aller en toute liberté vers une autre qui m'intéresse davantage...

Ramèges l'interrogeait du regard ; Claude sentait vivement son désir de ne pas se confondre avec sa fonction, de se montrer supérieur à elle, de le recevoir comme un invité — l'ennui aidant, sans doute, et peut-être quelque esprit de corps. Claude connaissait de reste l'hostilité comique qui oppose à tous les autres les archéologues formés par la philologie. Ramèges rêvait de l'Institut. Impossible de parler immédiatement de sa mission : son interlocuteur en eût été aussi sûrement blessé que d'une injure.

— J'en viens donc à dire que la valeur essentielle accordée à l'artiste nous masque

l'un des pôles de la vie de l'œuvre d'art :
l'état de la civilisation qui la considère. On
dirait qu'en art le temps n'existe pas. Ce qui
m'intéresse, comprenez-vous, c'est la décomposition, la transformation de ces œuvres,
leur vie la plus profonde, qui est faite de la
mort des hommes. Toute œuvre d'art, en
somme, tend à devenir mythe.

Il sentait qu'il résumait trop sa pensée,
obscure à force de concision ; gêné par le
désir d'en venir à l'objet de sa visite, mais
aussi de se concilier son interlocuteur intrigué.
Ramèges réfléchissait. Le son des lourdes
gouttes qui dehors tombaient une à une
pénétra dans la pièce.

— Quoi qu'il en soit, c'est curieux...

— Les musées sont pour moi des lieux
où les œuvres du passé, devenues mythes,
dorment, — vivent d'une vie historique —
en attendant que les artistes les rappellent à
une existence réelle. Et si elles me touchent
directement, c'est parce que l'artiste a ce
pouvoir de résurrection... En profondeur,
toute civilisation est impénétrable pour une
autre. Mais les objets restent, et nous sommes aveugles devant eux jusqu'à ce que nos
mythes s'accordent à eux...

Ramèges continuait à sourire, curieux et
attentif. « Il me prend pour un amateur de

théories, pensa Claude. Il est blafard, l'abcès
au foie, sans doute ; il me comprendrait
tellement mieux s'il sentait que ce qui m'attache là c'est l'acharnement des hommes à se
défendre contre leur mort par cette éternité
cahotée, si je reliais ce que je lui dis à
son abcès ! Passons... » Il sourit à son tour,
et ce sourire que Ramèges attribua au désir
de lui être agréable établit entre eux une
certaine cordialité.

— Au fond, dit enfin le directeur, vous
n'avez pas confiance, voilà la vérité, vous
n'avez pas confiance... Oh ! garder sa confiance n'est pas toujours facile, je le sais bien...
Voyez ce morceau de poterie, là, sous ce
livre, oui. Il nous est envoyé de Tien-Tsin.
Les dessins sont grecs, archaïques sans
aucun doute : vi^e siècle au moins avant le
Christ. Et le dragon chinois figure sur le
bouclier ! Que de choses à reprendre, dans
les idées que nous avions des rapports entre
l'Europe et l'Asie avant l'ère chrétienne !...
Que voulez-vous ? Lorsque la science nous
montre que nous nous sommes trompés, il
faut recommencer... »

Claude se sentait plus près de Ramèges
maintenant, en raison de la tristesse avec
laquelle il parlait. Ces découvertes l'avaient-
elles obligé à renoncer à un travail depuis

longtemps entrepris ? Par contenance, Claude
regardait d'autres photos, les unes de
statues khmères, les autres de statues chames,
séparées en deux séries. Pour rompre le
silence qui s'établissait, il demanda, indiquant
les deux paquets :

— Que préférez-vous ?

— Que voulez-vous que je préfère ? Je
fais de l'archéologie ... »

« Je suis revenu de ces goûts, disait le ton,
de cette naïveté de la jeunesse... » Il devina
un recul et s'en irrita légèrement. Quand il
ne questionnait pas, il entendait mener le jeu.

« Venons à vos projets, Monsieur. Vous
avez l'intention, si je ne m'abuse, de suivre
la piste qui marque le parcours de l'ancienne
route royale khmère...

Claude acquiesça de la tête.

« Je dois vous dire tout d'abord que cette
piste, cette piste même — je ne parle pas de
la route — est invisible sur des espaces
considérables. A l'approche de la chaîne des
Dang-Rek, elle se perd complètement.

— Je la retrouverai, répondit Claude en
souriant.

— Je dois l'espérer... Il est de mon devoir
— et de ma fonction — de vous mettre en
garde contre les dangers que vous rencontrerez. Vous n'êtes pas sans savoir que deux

de nos chargés de missions, Henri Maître et
Odend'hal, ont été assassinés. Et cependant,
nos malheureux amis connaissaient bien ce
pays.

— Je ne vous étonnerai certainement pas,
Monsieur, en vous disant que je ne suis pas
à la recherche du confortable et de la tranquillité. Me permettez-vous de vous demander quelle aide vous pouvez mettre à ma disposition ?

— Vous recevrez des bons de réquisitions
grâce auxquels vous pourrez disposer par
l'intermédiaire du délégué de la Résidence,
comme il convient, des charrettes cambod-
giennes nécessaires au transport de vos bagages
et de leurs conducteurs. Heureusement, tout
ce que transporte une expédition comme la
vôtre est relativement léger...

— La pierre est légère ?

— Pour ne pas avoir à déplorer le retour
d'abus regrettables qui se sont produits
l'année dernière, il a été décidé que les objets
quels qu'ils soient, resteraient in situ.

— Pardon ?

— *In situ* : en place. Ils feront l'objet d'un
rapport. Après examen de ce rapport, le chef
de notre service archéologique, s'il y a lieu,
se transportera...

— Après ce que vous m'avez dit, il me

semble peu probable que le chef de votre service archéologique se risque dans les régions que je vais traverser...

— Le cas est particulier ; nous y songerons.

— Et s'y risquerait-il, d'ailleurs, que j'aimerais à comprendre pourquoi je devrais assumer à son profit le rôle de prospecteur.

— Vous préférez l'assumer au vôtre ? demanda doucement Ramèges.

— En vingt ans, vos services n'ont pas exploré cette région. Sans doute avaient-ils mieux à faire ; mais je sais ce que je risque, et je souhaite le risquer sans ordres

— Mais non sans aide ?

Tous deux parlaient lentement, sans élever la voix. Claude se défendait contre la rage qui l'envahissait : à quel titre ce fonctionnaire s'arrogeait-il des droits sur des objets que lui, Claude, pouvait découvrir, à la recherche desquels il était précisément venu, auxquels était accroché son dernier espoir ?

— Sans autre aide que celle qui m'a été promise. Avec moins d'aide que vous n'en donnez à un officier géographe pour traverser une région soumise.

— Vous n'attendez pas de l'administration, Monsieur, qu'elle vous offre une escorte militaire ?

— Lui ai-je demandé autre chose que ce

que vous m'avez proposé vous-même : le moyen de réquisitionner (puisqu'il n'y a pas ici d'autre mode d'action) des conducteurs de charrettes ?

Ramèges le regarda en silence. Claude s'attendait à entendre, dehors, le bruit de l'eau, après un instant de silence confus ; les gouttes ne tombaient plus.

« De deux choses l'une, reprit-il : ou je ne reviendrai pas, et n'en parlons plus ; ou je reviendrai, et quel que soit mon profit, il sera dérisoire en comparaison du résultat que j'apporterai.

— A qui ?

— Je ne vous ferai pas l'injure, Monsieur, de croire que vous êtes résolu à n'admettre aucune contribution à l'histoire de l'art qui ne vienne de l'Institut que vous dirigez ?

— La valeur de ces contributions ne dépend que trop, hélas ! de la formation technique, de l'expérience, des habitudes de discipline de ceux qui les apportent...

— L'esprit de discipline ne mène pas en pays insoumis.

— Mais l'esprit qui mène en pays insoumis...

Ramèges, laissant là sa phrase, se leva.

« Je vous dois en effet, Monsieur, une aide déterminée. Comptez que vous la recevrez de moi ; quant au reste...

— Quant au reste... ;

Claude fit un geste qui signifiait, aussi discrètement que possible : « Je m'en charge ».

— Quand voulez-vous partir ?

— Au plus tôt.

— Vous recevrez donc vos documents demain soir. »

Le Directeur le reconduisit jusqu'à la porte, avec une grande courtoisie.

.

« Récapitulons ». Claude traversait la cour et regardait, comme pour échapper à sa propre injonction, des fragments de dieux sur lesquels couraient les lézards du soir.

« Récapitulons ».

Il n'y parvenait pas. Il s'engagea sur le boulevard désert. Le mot : colonie, le hantait avec la sonorité plaintive qu'il a dans les romances des Iles. Des chats passaient, clandestins, le long des fossés... « Ce noble barbu ne veut pas que l'on chasse sur ses terres... » Il commençait pourtant à comprendre que Ramèges n'était pas poussé par l'intérêt comme il l'avait cru d'abord. Il défendait l'ordre moins peut-être contre un projet que contre une nature à ce point opposée à la sienne... Et il défendait le prestige de son Institut. « De son point de vue même, il devrait essayer de tirer de moi ce que je puis lui apporter, puisque de toute évidence ses collaborateurs actuels ne risqueront pas leur peau par là. Il agit comme un administrateur qui constitue des réserves : dans trente ans peut-être, etc... Dans trente ans, son Institut sera-t-il encore là, et les Français en Indochine ? Il pense même sans doute que si ses chargés de mission sont morts, c'est pour que des collègues continuent leur œuvre, bien que ni l'un ni l'autre ne soient morts pour son Institut... Si, à travers lui-même, il défend une collectivité, il va devenir hargneux ; s'il croit défendre des morts, il va devenir enragé : il faut essayer de prévoir ce qu'il va inventer... »

IV

Sur la vitre de la vedette qui allait les conduire à terre, Claude retrouvait le profil de
Perken, tel qu'il l'avait vu souvent, pendant les
repas, sur le hublot du paquebot ; en arrière,
amarré, le bateau blanc qui les avait amenés de
Pnom-Penh dans la nuit. La région où l'ancien camarade de Perken avait disparu n'était
pas éloignée de la Voie Royale, qui marque
presque la limite de la zone de dissidence ; et
les renseignements prudemment obtenus à
Bangkok avaient confirmé la valeur du projet
de Claude.

La vedette démarra, s'enfonça entre les
arbres immergés : les vitres frôlaient les
branches couvertes de boue coagulée par
la chaleur, de filaments de vase verticaux ;
sur les troncs, des anneaux d'écume séchée
marquaient la hauteur extrême de la crue.
Claude regardait avec passion ce prologue
de la forêt qui l'attendait, possédé par l'odeur

de la vase qui se tend lentement au soleil,
de l'écume fade qui sèche, des bêtes qui se
désagrègent, par le mol aspect des animaux
amphibies, couleur de boue, collés aux branches. Au-delà des feuilles, dans chaque trouée,
il tentait d'apercevoir les tours d'Angkor-Wat
sur le profil des arbres tordus par les vents
du lac : en vain ; les feuilles, rouges de cré-
puscule, se refermaient sur la vie paludéenne.
La fétidité lui rappela qu'à Pnom-Penh il avait
découvert, au centre d'un cercle misérable,
un aveugle qui psalmodiait le Ramayana en
s'accompagnant d'une guitare sauvage. Le
Cambodge en décomposition se liait à ce
vieillard qui ne troublait plus de son poème
héroïque qu'un cercle de mendiants et de
servantes : terre possédée, terre domestique
où les hymnes comme les temples étaient en
ruines, terre morte entre les mortes ; et ces
coquillages terreux qui gargouillaient dans
leurs coques, ignobles grillons... Devant lui
la forêt terrestre, l'ennemi, comme un poing
serré.

La vedette accosta enfin. Les Ford du service de location attendaient les voyageurs ; un
indigène quitta leur groupe et se dirigea vers
le capitaine.

« Voilà l'oiseau, dit celui-ci à Claude.

— Le boy ?

— Je ne suis pas sûr qu'il soit très épatant, mais il n'y en a pas d'autre à Siem-Reap.

Perken posa au boy les quelques questions d'usage, et l'engagea.

« Surtout, ne lui donnez pas d'acompte », cria le capitaine qui s'était un peu éloigné.

L'indigène haussa légèrement l'épaule et prit place à côté du chauffeur de l'auto des blancs, qui partit aussitôt. Une autre voiture transportait les bagages.

— Bungalow ? demanda le chauffeur, sans se retourner. (La voiture, sur la route droite, filait déjà).

— Non, d'abord la Résidence.

La forêt fuyait des deux côtés de la route rouge, sur quoi se détachait la tête rasée du boy ; le crissement des cigales était si aigu qu'on l'entendait malgré le bruit du moteur. Soudain, le chauffeur étendit le bras vers l'horizon un instant apparu : « Angkor-Wat ». Mais Claude ne voyait plus à vingt mètres.

Enfin des feux et des lanternes parurent, tachés de silhouettes de poules et de porcs noirs : le village. Et bientôt l'auto s'arrêta.

— Maison du Délégué de la Résidence ?

— Oui Mssié.

— Je ne resterai qu'un instant, je pense, dit Claude à Perken.

Le délégué l'attendait dans une haute pièce. Il vint à lui, secouant lentement la main qu'il lui tendait, comme s'il l'eut soupesée :

« Content de vous voir, Msieu Vannec, content de vous voir... Vous attendais depuis un moment... En retard, c' sacré bateau, comme toujours... »

L'homme grognait ses phrases de bienvenue dans ses épaisses moustaches blanches, sans lâcher la main de Claude. L'ombre de son nez solide, projetée sur le mur blanchi à la chaux, écornait une peinture cambodgienne.

« Alors, comme çà, vous voulez faire de la brousse ?

— Puisque vous êtes informé de ma venue, Monsieur, je pense que vous connaissez exactement la mission que je dois entreprendre ?

— Que vous devez, heu, que vous devez entreprendre... Enfin, ça vous regarde.

— Je pense, que je puis compter sur votre aide pour l'exécution des réquisitions nécessaires au départ de ma caravane ?

Le vieux délégué se leva sans répondre ; ses jointures craquèrent dans le silence. Il commença à marcher à travers la pièce, suivi de son ombre.

— Faut marcher, msieu Vannec, si vous
ne voulez pas être bouffé par ces sacrés
moustiques... L'heure est mauvaise, vous
savez...

« Les réquisitions... hum !... »

(Ce râclement de gorge m'agace, pensa
Claude. Assez jouer le maréchal gâteux !)

— Les réquisitions ?

— Ben, voilà... Pour les avoir, vous les
aurez, bien sûr... Seulement, vous savez, les
réquisitions, c'est pas grand'chose. Je sais
bien que les chargés de mission qui viennent
ici n'aiment pas beaucoup qu'on ait l'air de
leur donner des leçons, ça les embête... mais
tout de même...

— Dites.

— Vous, ce que vous voulez faire, c'est pas
une petite balade comme celle des autres.
Alors, je dois vous dire une bonne chose :
les réquisitions, dans ce pays-ci, c'est comme
qui dirait : la peau.

— Je n'aurais rien ?

— Oh ! c'est pas ce que je veux dire. Vous
avez une mission, vous avez une mission ;
personne n'y peut rien. On vous donnera ce
qu'on doit vous donner. De ce côté-là, soyez
tranquille. Les instructions sont les instructions. (Quoique, pour vous, ça ne soit pas si
bon que ça en a l'air).

— C'est-à-dire ?

— Vous pensez bien que je ne suis pas ici pour vous faire des confidences, pas ? Mais enfin, il y a des choses qui ne me plaisent pas toujours, dans c'sacré métier. J'aime pas les histoires. Alors, voyez-vous, je voudrais vous dire encore une bonne chose, mais alors, une vraiment bonne chose, ce qui s'appelle un conseil, quoi ! — msieu Vannec, faut pas faire de brousse. Laissez tomber, c'est plus sage. Rentrez dans une grande ville, à Saïgon, par exemple. Et attendez un peu. C'est moi qui vous le dis.

— Pensez-vous que j'aie fait la moitié du tour du monde pour m'en aller à Saïgon, satisfait, avec un petit air naïf ?

— C'te moitié, vous savez, où l'a tous faite, ici, et on n'est pas plus fiers pour ça... Mais, justement : puisque vous vous donniez tant de peine, c'était donc bien difficile de vous arranger avec msieu Ramèges et son machin, son Institut ? Ç'aurait été mieux pour tout le monde, et moi je n'aurais pas eu à entrer dans une histoire... Maintenant, ce que je vous en dis...

— D'une part, cher Monsieur, vous me donnez un conseil que je dois, semble-t-il, à une certaine sympathie (il faillit ajouter : « ou à une certaine antipathie pour l'Insti-

tut français » mais n'en fit rien); mais, d'autre
part, vous me dites qu'en tout état de cause
on ne m'empêchera pas de tenter ma mission : j'ai peine à...

— J'ai pas dit ça. J'ai dit qu'on vous donnera ce à quoi vous avez droit.

— Ah... Oui. Je commence peut-être à
comprendre. Mais je voudrais tout de même...

— En savoir plus? Ben dites-vous que
c'est un désir qui ne sera point satisfait. Maintenant, soyons pratiques : voulez-vous réfléchir ?

— Non.

— Vous voulez partir quand même?

— Parfaitement.

— Bon. Espérons que vous avez pour ça de
bonnes raisons, parce que sans ça, msieu
Vannec, sans vouloir vous froisser, vous auriez
tort. Là-dessus, faut que je vous donne —
non, ça sera pour plus tard — alors, que je
vous dise un mot de msieu Perken.

— Quoi?

— J'ai là — attendez, dans l'autre dossier,
non? enfin ça ne fait rien — j'ai quelque
part, là, une note de la Sûreté du Cambodge
dont je dois aussi « vous communiquer l'esprit ». Entendons-nous bien : moi, ce que je
vais vous en dire, c'est parce que j'en suis
chargé. Parce que moi, vous savez, j'ai hor-

reur de ces trucs-là. C't'absurde. Y a une
seule chose sérieuse dans la région, c'est la
question du commerce des bois. On ferait
mieux de m'aider à travailler sérieusement
que de m'barber avec des histoires de pierres
et de cailloux...

— Donc ?

— Voilà : msieu Perken qui voyage avec
vous, on lui a donné ses passeports parce que
le Gouvernement siamois a insisté. Il va
rechercher — qu'il dit ! — un certain Grabot.
Notez qu'on aurait pu refuser, puisque c'Grabot, chez nous, est déserteur...

— Pourquoi ne l'a-t-on pas fait ? Pas par
humanité, je pense ?

— Les disparitions, par ici, faut les tirer au
clair. Enfin, Grabot : une gouape, voilà. Et
plutôt à la côte quand il est parti.

— Je crois que Perken le connaissait assez
peu, mais en quoi cela me regarde-t-il ?

— Msieu Perken, c'est une espèce de grand
fonctionnaire siamois, s'pas, bien qu'il soit
pas très officiel. Je l'connais : y a dix ans que
j'entends parler d'lui. Et j'vous dis personnel-
lement ceci : quand il est parti pour l'Europe,
il est entré en pourparlers avec nous — avec
nous, hein, pas avec les Siamois, vous comprenez bien ? — pour tacher d'avoir quèques
mitrailleuses.

Claude regardait le délégué en silence.

« C'est comme ça, msieu Vannec. Alors quand est-ce que vous voulez partir ?

— Le plus tôt possible.

— Dans trois jours, alors. Vous aurez ça à six heures du matin. Vous avez un boy ?

— Oui, dans l'auto.

— Je descends avec vous. Je vais lui donner tout de suite les instructions nécessaires. Ah ! vos lettres ! »

Il remit à Claude quelques enveloppes. L'une portait l'entête de l'Institut français. Claude allait l'ouvrir, mais le ton sur lequel le délégué appelait son boy lui fit lever la tête : l'auto attendait, bleue sous l'ampoule de la porte ; le boy, qui s'était écarté — en voyant arriver le délégué sans doute — se rapprochait, hésitant. Ils échangèrent quelques phrases en annamite ; Claude regardait d'autant plus attentivement qu'il ne comprenait pas. Le boy semblait atterré ; le délégué, ses moustaches blanches pleines de lumière électrique, gesticulait.

— Je vous préviens que ce boy sort de prison.

— Pour ?

— Jeu, divers larcins. Vous feriez bien d'en prendre un autre.

— Je verrai.

— Enfin, je l'ai mis au courant. Si vous le remplacez, hum ! il transmettra mes instructions... »

Le délégué dit encore une phrase en annamite, puis il serra la main de Claude. Il regardait le jeune homme dans les yeux, entr'ouvrant et refermant la bouche, comme s'il eût été sur le point de parler ; son corps restait immobile, clair sur le fond sombre de la forêt, depuis ses cheveux blancs en brosse jusqu'à ses souliers de toile ; il ne desserrait pas son étreinte. « A-t-il quelque chose à me dire ? » se demanda Claude. Mais le délégué lâcha sa main, fit demi-tour, et, sur un dernier « hum » ! suivi d'un marmonnement, rentra.

— Boy ?

— Mssié ?

— Comment t'appelles-tu ?

— Xa.

— Tu as entendu ce que le délégué a dit de toi ?

— Mssié, ça pas vrai !

— Vrai ou pas vrai, ça m'est égal. Tu m'entends ? *ça m'est égal*. Si tu fais avec moi ce que tu dois faire, le reste m'est indifférent. Compris ?

Le boy restait Claude, ahuri.

— Compris ?

— Oui, Mssié...

— Bon. Tu as entendu aussi ce qu'a dit le
Capitaine ?

— « Pas donner acompte ».

— Voilà cinq piastres. Chauffeur, dé-
marre. »

Il reprit sa place.

« C'est une méthode ? » demanda Perken
en souriant.

— Si vous voulez. S'il est fripouillard, nous
ne le reverrons pas demain ; sinon, c'est un
homme gagné. Le loyalisme est un des rares
sentiments qui ne me semblent pas pourris..

— Peut-être... Alors, que dit ce vieux
guerrier qui grogne si bien ?

Claude réfléchit.

— Des choses assez curieuses, dont je dois
vous parler ; mais résumons d'abord. Nous
aurons nos charrettes après-demain. Il insi-
nue, assez clairement, que je serais sage en
retournant à Saïgon...

— Car ?

— Car, rien. Il ne va pas plus loin... Il a
l'intention d'obéir à des instructions qui, de
toute évidence, l'embêtent ou le gênent.

— Vous n'avez pas pu en savoir davantage ?

— Non. A moins que... Attendez, at...
tendez...

Il avait gardé l'enveloppe dans sa main. Il

eut peine à l'ouvrir, et, quand il eut déplié la lettre, ne put la lire. Perken sortit sa lampe électrique.

— Halte ! cria Claude.

Le bruit du moteur diminua, s'engloutit dans le crissement des cigales.

« *Cher Monsieur*, lisait Claude à haute voix, *je crois de mon devoir* (ça commence bien) — *pour n'avoir à craindre aucune confusion et pour que vous puissiez exercer sur les personnes susceptibles de vous accompagner la surveillance nécessaire, de vous transmettre l'arrêté ci-joint du Gouverneur général, arrêté toujours en vigueur, et dont le caractère un peu vague sera précisé cette semaine par une nouvelle décision administrative.*

Croyez, je vous prie — (passons ! ah mais non, mais non...) — *à tous mes souhaits de bonne chance. Bien attentivement à vous.* (Quel arrêté ?)

Il prit la seconde feuille :

« *Le Gouverneur général de l'Indochine, sur la proposition du Directeur de l'Institut français...* (passons, bon sang !...) *arrête :*

« *Tous monuments, découverts et à découvrir, situés sur les territoires des provinces de Siam-Reap, Battambang et Sisophon, sont déclarés monuments historiques* »... C'est de 1908.

— Il y a une suite ?

— Administrative : dommage de s'être arrêté en si beau chemin ! Chauffeur, repars !

— Alors ?

Perken dirigeait maintenant sur son visage la lampe électrique.

— Éteignez ça, voulez-vous ? Quoi, alors ? Vous ne pensez pas que ça change mes intentions ?

— Je suis content d'avoir raison de penser que ça ne les change pas. J'attendais de l'Administration une réaction de ce genre, je vous l'ai dit sur le bateau. Ce sera plus difficile, voilà tout. Mais en brousse... »

L'impossibilité où était Claude de revenir en arrière était pour lui à tel point évidente que l'idée de discuter de ce qu'il allait faire l'exaspérait. Le jeu commençait : tant mieux. Il chassait l'inquiétude : il fallait aller plus loin, avancer comme cette auto qui s'enfonçait dans l'air noir, dans la forêt informe. L'ombre aussitôt dépassée d'un cheval apparut dans la lumière du phare, puis des ampoules électriques...

Le bungalow.

Le boy s'occupait des bagages. Claude, avant même de demander à boire, avait écarté, sur la table de rotin, les numéros jaunis de *l'Illustration*, et, sans prendre garde

au bourdonnement des moustiques, dévissait
le capuchon de son stylo.

— Vous n'allez pas répondre maintenant ?

— Soyez tranquille, je n'enverrai la lettre
que quand nous partirons. Mais je vais
répondre, ça me calmera les nerfs. Ce sera
très court d'ailleurs.

En effet : trois lignes. Il passa la feuille
à Perken, tandis qu'il écrivait l'adresse.

« *Cher Monsieur,*

*La peau de l'ours aussi est déclarée monu-
ment historique, mais il pourrait être imprudent
de venir la chercher.*

> *Plus attentivement encore*
>> Claude VANNEC.

Le boy du bungalow apportait les sodas, à
tout hasard. « Buvons et sortons, dit Claude.
Ce n'est pas tout. »

De l'autre côté de la route commençait la
grande chaussée d'Angkor-Wat. Ils s'y enga-
gèrent. Ils se tordaient les pieds à chaque pas
sur les dalles disjointes. Perken s'assit sur une
pierre :

« Eh bien ? »

Claude lui rapporta la conversation qu'il
venait d'avoir avec le délégué. Perken alluma
une cigarette : son visage, tout près de la flamme

du briquet, sortit une seconde de l'obscurité, flétri, marqué, se fondit dans la lueur rougeâtre du tabac allumé...

« De moi, le délégué ne vous a rien dit de plus ?

— Ça commençait à suffire...

— Et qu'avez-vous pensé de tout cela...

— Rien. Nous jouons ensemble notre vie ; je suis ici pour vous aider, non pour vous demander des comptes. Si vous avez besoin de mitrailleuses, je regretterai seulement que vous ne m'en parliez pas, parce que j'aimerais à en trouver pour vous.

Le vaste silence de la forêt retomba, avec son goût de terre fraîchement remuée. L'appel rauque d'un crapaud-buffle — si semblable au cri du porc qu'on égorge — l'emplit soudain, se perdit à la fois dans l'obscurité et l'odeur des étangs...

« Comprenez-moi. Si j'accepte un homme, je l'accepte totalement, je l'accepte comme moi-même. De quel acte, commis par cet homme qui est des miens, puis-je affirmer que je ne l'aurais pas commis ? »

Le silence, de nouveau.

— Vous n'avez pas encore été gravement trahi ?

— On ne pense pas sans danger contre la masse des hommes. Vers qui irais-je, sinon vers ceux qui se défendent comme moi ?

— Ou qui attaquent...

— Ou qui attaquent.

— Et peu vous importe le lieu où l'amitié peut vous entraîner ?...

— Craindrai-je l'amour à cause de la vérole ? Je ne dis pas : peu m'importe, je dis : je l'accepte. »

Dans la nuit, Perken posa sa main sur l'épaule de Claude.

— Je vous souhaite de mourir jeune, Claude, comme j'ai souhaité peu de choses au monde... Vous ne soupçonnez pas ce que c'est que d'être prisonnier de sa propre vie : je n'ai commencé à le deviner, moi, que lorsque nous nous sommes séparés, Sarah et moi. Qu'elle ait couché avec ceux dont la bouche lui plaisait — surtout lorsqu'elle était seule — comme elle m'aurait suivi au bagne, ça ne faisait rien, et elle avait passé à travers beaucoup de choses au Siam depuis son mariage avec le prince Pitsanulok... Une femme qui connaissait la vie, mais pas la mort. Un jour elle a vu que sa vie avait pris une forme : la mienne, que son destin était là et non ailleurs, et elle a commencé à me regarder avec autant de haine que sa glace. (Ce regard de la blanche à qui sa glace montre une fois de plus que les Tropiques vont lui faire pour

toujours une tête de fiévreuse, vous savez...)
Toutes ses anciennes espérances de femme
jeune se sont mises à miner sa vie comme une
syphilis attrapée dans l'adolescence, — et la
mienne par contagion... Vous ne savez pas
ce que c'est que le destin limité, irréfutable,
qui tombe sur vous comme un réglement sur
un prisonnier : la certitude que vous serez
cela et pas autre chose, que vous *aurez été*
cela et pas autre chose, que ce que vous
n'avez pas eu, vous ne l'aurez jamais. Et
derrière soi, tous ses espoirs, ses espoirs
qu'on a dans la peau comme on n'aura jamais
aucun être vivant... »

L'odeur de décomposition des étangs enveloppait Claude, qui revit sa mère errer à
travers l'hôtel de son grand-père : presque
cachée dans la pénombre, à l'exception de la
crosse de ses lourds cheveux où se plaquait le
jour, regardant avec épouvante, dans le petit
miroir orné d'un galion romantique, l'affaisse-
ment des coins de sa bouche et le grossisse-
ment de son nez, massant ses paupières avec
un geste d'aveugle...

« J'ai compris, reprit Perken, parce que
je n'étais pas très loin moi-même de ce
moment-là : du moment où il faut régler le
compte de ses espoirs. C'est comme si nous
devions tuer un être pour qui nous avons vécu.

Aussi facile et aussi gai. Encore des mots dont
vous devez ignorer le sens : tuer quelqu'un
qui ne veut pas mourir... Et quand on n'a pas
d'enfants, quand on n'a pas voulu d'enfants,
l'espoir est invendable, on ne peut le donner
à personne et il s'agit bien de le tuer soi-même.
C'est pourquoi la sympathie peut devenir
si profonde lorsqu'on le rencontre chez
d'autres... »

Comme une note répétée d'octave en octave,
des chants de grenouilles creusaient les ténèbres jusqu'à l'invisible horizon.

« La jeunesse est une religion dont il faut
toujours finir par se convertir... Et pourtant !...
J'ai tenté sérieusement ce que Mayrena a
voulu tenter en se croyant sur la scène de vos
théâtres. Être roi est idiot ; ce qui compte,
c'est de faire un royaume. Je n'ai pas joué
l'imbécile avec un sabre ; à peine me suis-je
servi de mon fusil (pourtant, croyez que je
tire bien). Mais je suis lié, de façon ou d'autre,
à presque tous les chefs des tribus libres,
jusqu'au Haut-Laos. Voilà quinze ans que
cela dure. Je les ai atteints un à un, abrutis
ou courageux. Et ce n'est pas le Siam qu'ils
connaissent : c'est moi.

— Que voulez-vous en faire ?

— Je *voulais*... Une force militaire, d'abord.
Grossière mais rapidement transformable. Et

attendre le conflit inévitable par ici, soit entre
colonisateurs et colonisés, soit entre colonisateurs seulement. Alors, le jeu pourrait être
joué. Exister dans un grand nombre d'hommes,
et peut-être pour longtemps. Je veux laisser
une cicatrice sur cette carte. Puisque je dois
jouer contre ma mort, j'aime mieux jouer avec
vingt tribus qu'avec un enfant... Je voulais
cela comme mon père voulait la propriété de
son voisin, comme je veux des femmes. »

L'intonation surprit Claude. Rien de la
voix de l'obsédé : rigoureuse, méditée.

— Pourquoi ne le voulez-vous plus ?

— Je veux la paix. »

Il disait : la paix comme il eut dit : agir.
Bien que sa cigarette fût allumée, il n'avait
pas éteint son briquet. Il l'approcha du mur,
regarda avec attention les sculptures et la
ligne de séparation des pierres. La paix, il
semblait qu'il la cherchât là.

« D'un mur pareil, il serait impossible de
rien emporter... »

Il éteignit enfin la petite flamme. La
nuit se replaqua sur le mur, intense, à
peine troublée au-dessus d'eux par des
lueurs (des bâtons d'encens allumés devant
les Bouddhas, sans doute), la moitié des
étoiles cachées par la masse colossale écrasée
devant eux et qui s'imposait, sans qu'ils la

vîssent, par sa seule présence dans l'ombre.

« La vase ? vous sentez... reprit Perken.
Mon projet aussi est pourri. Je n'ai plus le
temps. Avant deux ans, les prolongements
des lignes du chemin de fer seront achevés.
Avant cinq ans, la brousse sera traversée :
routes ou trains.

— C'est la valeur stratégique des routes
qui vous inquiète ?

— Elle est nulle. Mais avec l'alcool et la
pacotille, mes Moïs seront fichus. Rien à faire.
Il faut que je passe la main au Siam, ou que
j'abandonne.

— Mais les mitrailleuses ?

— Dans la région où je réside, je suis
libre. Si je suis armé, j'y tiendrai jusqu'à ma
mort. Et il y a les femmes. Avec quelques
mitrailleuses, la région est imprenable pour
un État à moins de sacrifier un très grand
nombre d'hommes. »

Les lignes du chemin de fer, pas encore
achevées, suffisaient-elles à justifier ses paroles ? Il était peu probable que la région
insoumise pût vivre contre la « civilisation »,
contre son avant-garde annamite et siamoise.
« Les femmes ... » Claude n'avait pas oublié
Djibouti.

— Ce sont seulement des réflexions qui
vous ont séparé de votre projet ?

— Je ne l'ai pas oublié : si l'occasion...
Mais je ne peux plus vivre avant tout pour
lui. J'y ai beaucoup songé, après le fiasco du
bordel de Djibouti aussi... Voyez-vous, je
crois que ce qui m'en a séparé, comme vous
dites, ce sont les femmes que j'ai manquées.
Ce n'est pas l'impuissance, comprenez-bien.
Une menace... Comme la première fois que
j'ai vu que Sarah vieillissait. La *fin* de quelque
chose, surtout... je me sens vidé de mon
espoir, avec une force qui monte en moi, contre moi, — comme la faim. »

Il sentait le contact étouffé que ces paroles martelées maintenaient entre Claude et
lui.

« J'ai toujours été indifférent à l'argent. Le
Siam me doit plus que je ne lui demanderais,
mais il ne marchera plus. Il se méfie... Non,
ce n'est pas qu'il ait des raisons particulières
de le faire : mais il se méfie de moi en bloc,
autant que moi des deux ou trois années où je
suis obligé de réfugier mon espoir... Il faudrait
tenter ces choses sans s'appuyer sur un État,
sans jouer ce rôle de chien de chasse qui attend
de chasser pour son propre compte. Mais
jamais personne ne l'a réussi — et personne,
en somme, ne l'a tenté sérieusement. —
Brooke à Sarawak, même Mayerena... Ces
projets-là sont malades quand il faut réflé-

chir à ce qu'ils valent. Si j'ai joué ma vie sur
un jeu plus grand que moi...

— Que faire d'autre ?

— Rien. Mais ce jeu me cachait le reste
du monde et j'ai parfois singulièrement
besoin qu'il me soit caché... Si je l'avais
réalisé, ce projet... mais que tout ce que je
pense soit pourriture je m'en fous, parce
qu'il y a les femmes.

— Les corps ?

— On n'imagine pas ce qu'il y a de haine
du monde dans le : une de plus. Tout corps
qu'on n'a pas eu est ennemi...» Maintenant,
j'ai tous mes vieux rêves dans les reins...

Sa volonté de convaincre pesait sur Claude,
toute proche, comme ce temple perdu dans
la nuit.

« Et puis, rendez-vous compte de ce que
c'est que ce pays. Songez que je commence
à comprendre leurs cultes érotiques, cette
assimilation de l'homme qui arrive à se
confondre, jusqu'aux sensations, avec la
femme qu'il prend, à s'imaginer *elle* sans
cesser d'être lui-même. Rien ne compte
à côté de la volupté d'un être qui commence
à ne plus pouvoir la supporter. Non, ce ne
sont pas des corps, ces femmes : ce sont des...
des possibilités, oui. Et je veux...

Il fit un geste que Claude devina seulement

dans la nuit, comme d'une main qui écrase.

« ... comme j'ai voulu vaincre des hommes... »

« Ce qu'il veut, pensait Claude, c'est s'anéantir. S'en doute-t-il plus qu'il ne le dit ? Il y parviendra assez bien... » De ses espoirs piétinés, Perken avait parlé sur un ton qui ne permettait pas de croire à leur abandon ; ou, si l'abandon existait, l'érotisme n'était pas seul à le compenser.

— Je n'ai pas encore fini avec les hommes... D'où je serai, je pourrai encore surveiller le Mékong (dommage que je ne connaisse pas la région où nous allons, ou que vous ne connaissiez pas une voie royale trois cents kilomètres plus haut !) mais j'entends le surveiller seul et n'avoir pas de voisin. Il faut voir ce qu'est devenu Grabot...

— Où est-il parti ?

— Tout près des Dang-Rek, à cinquante kilomètres de notre itinéraire à peu près. Pour quoi faire ? Ses copains de Bangkok disent qu'il est venu pour l'or : toutes les épaves d'Europe pensent à l'or. Mais il connaît le pays : il ne doit pas croire à cette histoire. On m'a parlé aussi d'une combinaison, d'une vente d'objets de traite aux insoumis...

— Comment payent-ils ?

— En peaux, un peu en poudre d'or. Une

combinaison est plus vraisemblable : il est
Parisien : son père devait inventer des porte-
cravates, des démarreurs, des brise-jets...
Je pense qu'il est surtout allé régler certains
comptes avec lui-même... Je vous en parlerai
un jour. Mais il est certainement parti en
accord avec le gouvernement de Bangkok,
sinon on ne tiendrait pas tant à le retrouver.
Sans doute est-il venu pour eux et commence-
t-il déjà à jouer son propre jeu, ce qui est
tout de même prématuré... Sinon, il les tiendrait au courant. Peut-être l'avaient-ils chargé
de contrôler ma position là-haut. Il est précisément parti en mon absence...

— Mais il n'est pas parti dans la même
région que vous ?

— Il aurait été accueilli à son arrivée par
les flèches, et surtout quelques balles de
mes fusils Gras d'instruction. Rien à faire.
Il n'a pu tenter de venir — s'il l'a voulu —
que par les Dang-Rek.

— Quel homme est-ce ?

— Écoutez. Pendant son service militaire,
il prend en haine un médecin-major qui ne
l'avait pas « reconnu » lorsqu'il était malade,
je crois, ou pour tout autre raison. Il se fait
porter malade à nouveau la semaine suivante,
va à l'infirmerie : « Encore toi ? — Des boutons — Où ça ?... » L'autre ouvre la main :

six boutons de culotte. Un mois de prison.
Il écrit aussitôt au général, précisant une
maladie des yeux. Dès son entrée en prison,
(j'oubliais de vous dire qu'il avait une blen-
norragie) il prend du pus blennorragique,
sachant parfaitement ce qu'il faisait, se le
colle dans l'œil. Fait punir le major. Perd
l'œil, bien entendu. Il est borgne. Une de
vos têtes toutes rondes de Français, avec
un nez en pomme de terre et un corps de
déménageur. Enchanté, à Bangkok, de ses
entrées nonchalantes de grosse brute dans
les bars. Vous voyez cela : les regards qui
le suivent à la dérobée, les types qui s'écar-
tent peu à peu et dans un coin des copains
— pas beaucoup — qui lèvent leur verre en
vociférant... Évadé de vos bataillons d'Afri-
que. Encore un dont les rapports avec l'érotisme sont particuliers... »

DEUXIÈME PARTIE

Depuis quatre jours, la forêt.

Depuis quatre jours, campements près des
villages nés d'elle comme leurs bouddhas de
bois, comme le chaume de palmes de leurs
huttes sorties du sol mou en monstrueux
insectes ; décomposition de l'esprit dans cette
lumière d'aquarium, d'une épaisseur d'eau.
Ils avaient rencontré déjà des petits monuments écrasés, aux pierres si serrées par les
racines qui les fixaient au sol comme des
pattes qu'ils ne semblaient plus avoir été
élevés par des hommes mais par des êtres
disparus habitués à cette vie sans horizon,
à ces ténèbres marines. Décomposée par les
siècles, la Voie ne montrait sa présence que
par ces masses minérales pourries, avec les
deux yeux de quelque crapaud immobile
dans un angle des pierres. Promesses ou
refus, ces monuments abandonnés par la

forêt comme des squelettes ? La caravane
allait-elle enfin atteindre le temple sculpté
vers quoi la guidait l'adolescent qui fumait
sans discontinuer les cigarettes de Perken ?
Ils auraient dû être arrivés depuis trois
heures... La forêt et la chaleur étaient pourtant plus fortes que l'inquiétude : Claude
sombrait comme dans une maladie dans cette
fermentation où les formes se gonflaient,
s'allongeaient, pourrissaient hors du monde
dans lequel l'homme compte, qui le séparait
de lui-même avec la force de l'obscurité.
Et partout, les insectes.

Les autres animaux, furtifs et le plus souvent invisibles, venaient d'un autre univers,
où les feuilles des arbres ne semblent pas
collées par l'air même aux feuilles gluantes
sur lesquelles marchent les chevaux ; de l'univers qui apparaissait parfois dans les furieuses
trouées du soleil, dans le remous d'atomes
scintillants où passaient, rapides, des ombres
d'oiseaux. Les insectes, eux, vivaient de la
forêt, depuis les boules noires qu'écrasaient
les sabots des bœufs attelés aux charrettes
et les fourmis qui gravissaient en tremblot-
tant les troncs poreux, jusqu'aux araignées
retenues par leurs pattes de sauterelles au
centre de toiles de quatre mètres dont les fils
recueillaient le jour qui traînait encore auprès

du sol, et apparaissaient de loin sur la confusion des formes, phosphorescentes et géométriques, dans une immobilité d'éternité.
Seules, sur les mouvements de mollusque
de la brousse, elles fixaient des figures
qu'une trouble analogie reliait aux autres
insectes, aux cancrelats, aux mouches, aux
bêtes sans nom dont la tête sortait de la
carapace au ras des mousses, à l'écœurante
virulence d'une vie de microscope. Les
termitières hautes et blanchâtres, sur lesquelles les termites ne se voyaient jamais,
élevaient dans la pénombre leurs pics
de planètes abandonnées comme si elles
eussent trouvé naissance dans la corruption
de l'air, dans l'odeur de champignon, dans
la présence des minuscules sangsues agglu-
tinées sous les feuilles comme des œufs de
mouches. L'unité de la forêt, maintenant,
s'imposait ; depuis six jours Claude avait
renoncé à séparer les êtres des formes, la vie
qui bouge de la vie qui suinte ; une puissance inconnue liait aux arbres les fongosités,
faisait grouiller toutes ces choses provi-
soires sur un sol semblable à l'écume des
marais, dans ces bois fumants de commence-
ment du monde. Quel acte humain, ici,
avait un sens ? Quelle volonté conservait
sa force ? Tout se ramifiait, s'amollissait,

s'efforçait de s'accorder à ce monde ignoble
et attirant à la fois comme le regard des
idiots, et qui attaquait les nerfs avec la même
puissance abjecte que ces araignées suspendues entre les branches, dont il avait eu
d'abord tant de peine à détourner les
yeux.

Les chevaux marchaient le col baissé, en
silence ; le jeune guide avançait lentement,
mais sans hésiter, suivi du Cambodgien que
le délégué avait adjoint à la caravane pour
réquisitionner les conducteurs — et pour la
surveiller : Svay. A l'instant où, le plus vite
possible, Claude tournait la tête (sa crainte
maladive de se jeter dans une toile d'araignée
l'obligeait à regarder avec soin devant lui),
un contact le fit sursauter : Perken venait
de lui toucher le bras, indiquant de sa cigarette, très rouge dans cet air si sombre, une
masse perdue dans les arbres et d'où, ça et
là, sortaient des roseaux. Une fois de plus,
Claude n'avait rien su distinguer à travers
les troncs. Il s'approcha des vestiges d'un
mur de pierre brune, taché de mousse ;
quelques petites boules de rosée, qui ne
s'étaient pas encore évaporées, brillaient...
« L'enceinte, pensa-t-il. Le fossé a été com-
blé. »

Le sentier se perdait sous leurs pieds ;

de l'autre côté de l'éboulis, qu'ils contour-
nèrent, une profusion de roseaux, serrés
comme ceux d'une claie, barraient la forêt à
hauteur d'homme.

Le boy cria aux conducteurs des charrettes de venir avec leur coupe-coupe : voix
stagnante, écrasée par la voûte des feuilles...
Les mains à demi crispées de Claude se
souvenaient des fouilles, lorsque le marteau
retenu cherche à travers la couche de terre
un objet inconnu. Le buste des conducteurs
s'abaissait d'un mouvement lent, presque
paresseux, et se relevait d'un coup, droit,
dominé par la tache bleue du fer qui reflétait,
en tournant, la clarté du ciel invisible ; à
chaque mouvement des fers parallèles, de
droite à gauche, Claude sentait dans son bras
l'aiguille d'un médecin qui jadis, cherchant
maladroitement sa veine, lui râclait la chair.
Du chemin qui peu à peu s'approfondissait
montait une odeur de marais, plus fade que
celle de la forêt ; Perken suivait pas à pas
les conducteurs. Sous ses souliers de cuir
un roseau mort sans doute depuis longtemps
craqua avec un bruit sec : deux grenouilles
des ruines s'enfuirent sans hâte.

Au-dessus des arbres, de grands oiseaux
s'envolèrent lourdement ; les faucheurs venaient d'atteindre un mur. Il devenait facile

de retrouver la porte, pour s'orienter ensuite :
ils n'avaient pu dériver qu'à gauche ; il
suffisait donc de suivre le mur vers la droite.
Roseaux et buissons épineux venaient jusqu'à son pied. Claude, d'un rétablissement,
se trouva sur lui.

— « Pouvez-vous avancer ? » demanda
Perken.

Le mur traversait la végétation comme un
chemin, mais sous une mousse gluante. La
chute, si Claude voulait marcher, était d'un
extrême danger : la gangrène est aussi maî-
tresse de la forêt que l'insecte. Il commença
à avancer à plat ventre ; la mousse à l'odeur
de pourriture, couverte de feuilles mi-vis-
queuses, mi-réduites aux nervures comme si
elle les eût en partie digérées, s'étendait à
hauteur de son visage, grossie par la proxi-
mité, vaguement agitée dans l'air si calme,
rappelant par le mouvement des fibrilles
la présence des insectes. Au troisième mètre,
il sentit un chatouillement.

Il s'arrêta, râclant son cou de sa main.
Le chatouillement passa sur elle, il la ramena
aussitôt : deux fourmis noires grandes comme
des guêpes, les antennes distinctes, essayaient
de se glisser entre ses doigts. Il secoua sa
main de toute sa force : elles tombèrent. Il
était déjà debout. Pas de fourmis sur ses vête-

ments. A l'extrémité du mur, à cent mètres,
une trouée plus claire : la porte, sans aucun
doute, et les sculptures. En bas, le sol criblé
de pierres éboulées. Sur la trouée claire, une
branche passait en silhouette ; de grandes
fourmis, le ventre en silhouette aussi, les
pattes invisibles, la suivaient comme un
pont. Claude voulut l'écarter mais il la man-
qua d'abord. « Il faut absolument que j'arrive au bout. S'il y a des fourmis rouges, ça
ira mal, mais si je revenais, ça irait plus mal...
A moins qu'on n'ait exagéré ? » — « Eh
bien ? » cria Perken. Il ne répondit rien,
avança d'un pas. Équilibre plus que précaire.
Ce mur attirait ses mains avec une force
d'être vivant : il se laissa tomber sur lui ;
et à l'instant, conseillé par ses muscles, il
comprit comment il devait marcher : non
sur les mains et les genoux, mais sur les mains
et la pointe des pieds (il pensa au gros dos
des chats). Il avança aussitôt. Chaque main
pouvait défendre l'autre ; pieds et mollets
étaient protégés par le cuir, leur contact
avec la mousse réduit au minimum. « Ça va »
cria-t-il. Sa voix le surprit, criarde et désac-
cordée : elle n'avait pas encore oublié les
fourmis. Il avançait lentement, exaspéré par
le peu d'obéissance de son corps maladroit,
par les mouvements impatients qui jetaient

ses reins de droite à gauche, au lieu de le
faire aller plus vite. Il s'arrêta encore, une
main en l'air, chien au guet, bloqué par une
nouvelle sensation que sa surexcitation avait
retardée : dans sa main levée persistait l'écrasement de minuscules œufs agglutinés, de
bêtes à coques. De nouveau, ses membres
étaient enrayés. Il ne voyait que la tache de
lumière qui l'absorbait, mais ses nerfs ne
voyaient que les insectes écrasés, n'obéis-
saient qu'à leur contact. Déjà relevé, cra-
chant, il vit grouillantes d'insectes, une
seconde, ces pierres du sol sur quoi pouvait
s'écraser sa vie ; dérivé du dégoût par le danger, il retomba sur le mur avec une brutalité de bête en fuite, avançant de nouveau,
ses mains gluantes collées aux feuilles pourries, hébété de dégoût, n'existant plus que
pour cette trouée qui le tirait par les yeux.
Comme une chose qui éclate, elle fit place
au ciel. Il s'arrêta, stupide : dans cette position, il ne savait plus sauter.

Il put enfin prendre l'angle du mur et descendre.

Des dalles envahies par les basses herbes
conduisaient à une nouvelle masse sombre :
une seule tour, de toute évidence ; il connaissait les plans de ce genre de sanctuaire.
Libre enfin de courir comme un homme il

se jeta en avant, la tête mal protégée par le bras replié, au risque de s'ouvrir la gorge sur une liane de rotin.

Inutile de chercher des sculptures : le monument était inachevé.

II

La forêt s'était refermée sur cet espoir
abandonné. Depuis des jours, la caravane
n'avait rencontré que des ruines sans importance ; vivante et morte comme le lit d'un
fleuve, la Voie Royale ne menait plus qu'aux
vestiges que laissent derrière elles, tels des
ossements, les migrations et les armées. Au
dernier village, des chercheurs de bois avaient
parlé d'un grand édifice, le Ta Mean, situé à
la crête des monts, entre les marches cambod-
giennes et une partie inexplorée du Siam,
dans une région Moï. « Plusieurs centaines
de mètres de bas-reliefs... »

Si c'était vrai, un sinistre supplice de Tan-
tale ne les attendait-il pas là ? « Impossible
de sortir une seule pierre du mur d'Angkor
Wat » avait dit Perken. Hors de doute. La
sueur coulait sur le visage de Claude et sur
son corps, gluante, intolérable. Bien que,
dans cette forêt parcourue, une fois l'an,

par quelque minable caravane de charrettes
chargées de verroteries que des indigènes
allaient troquer contre le stick-laque et les
cardamomes des sauvages, sa vie valût le
prix d'une balle, il ne croyait pas que les
pirates osassent attaquer, sans l'espoir d'un
grand profit, des Européens armés. (Mais ces
pirates connaissaient peut-être des temples...) ;
et pourtant, l'inquiétude rôdait en lui. « La
fatigue ?... » pensa-t-il ; à l'instant même, il
comprit que son regard, qui depuis quelques
minutes errait sur la toison d'arbres d'une
colline apparue dans une trouée, suivait la
fumée d'un feu. Depuis plusieurs jours, ils
n'avaient pas rencontré un être humain.

Les indigènes, eux, avaient vu la fumée.
Tous la suivaient du regard, les épaules
rentrées dans le cou comme en face d'une
catastrophe. Malgré l'absence du vent, une
bouffée d'odeur de chair brûlée passa : les
animaux s'arrêtèrent.

— Des sauvages nomades... dit Perken.
S'ils brûlent leurs morts, ils sont tous là-bas...

Il sortit son revolver.

« Mais s'ils tiennent la piste... »

Il entrait déjà dans les feuilles, Claude
sur ses talons ; les mains contre le corps par
crainte des sangsues qui commençaient à
s'agglutiner sur leurs vêtements, les doigts

crispés sur le revolver, ils avançaient, l'épaule
en avant, sans un mot. A la transparence
soudaine de tout le feuillage qui jaunit la
forêt, Claude devina une clairière : sous le
soleil, la rive opposée de la forêt brillait
comme de l'eau, dominée par de minces
palmes au-dessus desquelles montait toujours, verticale, lourde, lente, la fumée. « Surtout, restez sous bois », dit Perken à voix
basse. Des clameurs assourdies les guidaient.
Claude fut saisi de nouveau par l'odeur de
viande brûlée ; dès qu'il le put, il écarta
les branches : au-dessus d'un rang de buissons qui le gênaient, passaient dans un grand
mouvement confus des têtes aux grosses
lèvres et des fers de lance éblouissants ; la
sourde mélopée battait le feuillage autour
d'eux. Au centre de la clairière, d'une tour
trapue faite de claies, la fumée montait,
épaisse et blanche. Au sommet, quatre têtes
de buffles en bois, aux cornes grandes comme
des barques, se plaquaient sur le ciel ; appuyé
sur la hampe de sa lance miroitante, se grat-
tant la tête et penché vers l'intérieur du
bûcher, un guerrier jaune regardait, nu, le
sexe dressé. Ainsi tapi, Claude était fixé à ce
spectacle par les yeux, par les mains, par les
feuilles qu'il sentait malgré ses vêtements,
par le sentiment panique qui tombait sur lui,

enfant, devant les serpents et les crustacés vivants.

Perken revenait en arrière : Claude se releva en toute hâte prêt à tirer. Dès que s'éteignit le craquement des branches, le courant de la mélopée se rétablit à travers le silence, de plus en plus faible à mesure qu'ils s'éloignaient...

Ils retrouvèrent leur caravane.

« Hop, filons ! dit Perken, rageusement ».

Les charrettes repartirent précipitamment avec un arpège d'essieux qui retentit dans chacun des muscles de Claude. Entre les arbres, quelquefois, la fumée apparaissait encore, immobile. Dès qu'ils la voyaient les indigènes tentaient de hâter encore l'allure de leurs bêtes, recroquevillés sur le timon des charrettes comme par une terreur sacrée. Parfois apparaissaient de l'autre côté d'un ravin, par grands pans, des roches orangées vers lesquelles s'élevait la marée des arbres, éclatantes sur le ciel dont l'outremer s'affaiblissait à peine. Dès qu'une nouvelle trouée les délivrait de la forêt, tous suivaient des yeux la cime des arbres lointains, craignant de découvrir un nouveau feu : rien ne troublait l'immobilité du ciel et des masses du feuillage sur lesquelles l'air chaud trem-

blait comme au-dessus d'une cheminée, à
grandes ondes précipitées.

.*.

La nuit et le jour, la nuit et le jour ; enfin
un dernier village grelottant de paludisme,
perdu dans l'universelle désagrégation des
choses sous le soleil invisible. Quelquefois,
de plus en plus proches, les montagnes. Les
branches basses retombaient en claquant sur
le toit des charrettes comme sur des caisses
de résonnance ; mais cette intermittente fla-
gellation elle-même se décomposait dans la
chaleur. Contre l'air suffocant qui montait
du sol, subsistait seule l'affirmation du dernier
guide : le monument vers lequel ils marchaient maintenant était sculpté.

Comme toujours.

Bien qu'il doutât de ce temple, de chacun de
ceux vers quoi ils marcheraient, Claude restait
lié à leur ensemble par une confiance trouble, faite d'affirmations logiques et de doutes
si profonds qu'ils en devenaient physiques,
comme si ses yeux et ses nerfs eussent pro-
testé contre son espoir, contre les promesses
jamais tenues de ce fantôme de route.

Enfin, ils atteignirent un mur.

Le regard de Claude commençait à s'ha-

bituer à la forêt ; assez près pour distinguer
les mille-pattes qui parcouraient la pierre,
il vit que ce guide, plus ingénieux que les
précédents, les avait conduits à un affaiblissement qui ne pouvait marquer que la place de
l'ancienne entrée. Comme autour des autres
temples, montaient les grilles enchevêtrées
des roseaux. Perken, qui maintenant n'ignorait plus la végétation des monuments, indi-
qua une direction : là, la masse des roseaux
était moins dense : « Les dalles ». Elles conduisaient certainement au sanctuaire. Les
conducteurs se mirent à l'ouvrage. Dans un
bruit de papier froissé, les roseaux tranchés
tombaient à droite et à gauche avec mollesse,
laissant sur le sol des pointes très blanches
dans la pénombre : la moelle des tiges coupées en sifflet. « Si ce temple-ci est sans
sculptures et sans statues, songeait Claude,
quelles chances nous restent ? Aucun con-
ducteur ne nous accompagnera au Ta Mean,
Perken, le boy et moi... Depuis que nous
avons croisé les sauvages, ils n'ont qu'un désir :
filer. A trois, comment manœuvrer les blocs
de deux tonnes des grands bas-reliefs ?...
Des statues peut-être ? Et puis, la chance...
Tout ça est bête comme une histoire de chercheurs de trésors... »

Son regard quitta les éclairs des coupe-

coupe et retomba sur le sol : les sections des
roseaux devenaient déjà brunes. Prendre,
lui aussi, un coupe-coupe et frapper, plus
fort que ces paysans ! Ah ! de grands coups
de faux à travers ces roseaux !... Le guide
le toucha doucement pour attirer son attention : après la chute d'une dernière touffe,
protégés par les pierres, rayés par quelques
roseaux restés debout, les blocs qui formaient
la porte se distinguaient, lisses.

Sans sculptures, encore une fois.

Le guide souriait, l'index toujours tendu.
Jamais Claude n'avait éprouvé un tel désir
de frapper. Serrant les poings, il se retourna
vers Perken, qui souriait aussi. L'amitié
que Claude lui portait se changea d'un coup
en fureur ; pourtant, orienté par la direction commune des regards, il détourna la
tête : la porte, qui sans doute avait été monu-
mentale, commençait en avant du mur, et
non où il la cherchait. Ce que regardaient
tous ces hommes habitués à la forêt, c'était
l'un de ses angles, debout comme une pyra-
mide sur des décombres, et portant à son
sommet, fragile mais intacte, une figure de
grès au diadème sculpté avec une extrême
précision. Claude, entre les feuilles, distinguait maintenant un oiseau de pierre, avec
des ailes éployées et un bec de perroquet ;

une épaisse raie de soleil se brisait sur l'une
de ses pattes. Sa colère disparut dans ce
minuscule espace éblouissant ; la joie l'envahit, une reconnaissance sans objet, une
allégresse aussitôt suivie d'un attendrisse-
ment stupide. Il avança sans y prendre garde,
possédé par la sculpture, jusqu'en face de
la porte. Le linteau s'était écroulé, entraî-
nant tout ce qui le surmontait, mais les branches qui enserraient les montants restés
debout, tressées, formaient une voûte à la
fois noueuse et molle que le soleil ne traversait pas. A travers le tunnel, au-delà
des pierres écroulées dont les angles noirs,
à contre-jour, obstruaient le passage, était
tendu un rideau de pariétaires, de plantes
légères ramifiées en veines de sève. Perken
le creva, découvrant un éblouissement confus
d'où ne sortaient que les triangles des feuilles
d'agave, d'un éclat de miroir ; Claude franchit
le passage, de pierre en pierre, en s'appuyant
aux murs, et frotta contre son pantalon ses
mains pour se délivrer de la sensation d'éponge
née de la mousse. Il se souvint soudain du
mur aux fourmis : comme alors, un trou bril-
lant, peuplé de feuilles, semblait s'être évanoui
dans la grande lumière trouble, rétablie une
fois de plus sur son empire pourri. Des pierres,
des pierres, quelques-unes à plat, presque

toutes un angle en l'air : un chantier envahi
par la brousse. Des pans de mur de grès
violet, les uns sculptés, les autres nus, d'où
pendaient des fougères ; certains portaient
la patine rouge du feu. Devant lui, des bas-
reliefs de haute époque, très indianisés (Claude
s'approchait d'eux), mais très beaux, entouraient d'anciennes ouvertures à demi-cachées
sous un rempart de pierres éboulées. Il se
décida à les dépasser du regard : au-dessus,
trois tours démolies jusqu'à deux mètres du
sol, leurs trois tronçons sortant d'un écroule-
ment si total que la végétation naine seule
s'y développait, comme fichés dans cet
éboulis ; des grenouilles jaunes s'en écar-
taient avec lenteur. Les ombres s'étaient
raccourcies : le soleil invisible montait dans
le ciel. Un immobile frémissement, une vibration sans fin animait les dernières feuilles,
bien qu'aucun vent ne se fut levé : la chaleur...

Une pierre détachée tomba, retentit deux
fois, sourdement d'abord puis avec un son
clair, appelant dans l'esprit de Claude le
mot : in-so-lite. Plus que ces pierres mortes
à peine animées par le cheminement des grenouilles qui n'avaient jamais vu d'hommes, que
ce temple écrasé sous un si décisif abandon,
que la violence clandestine de la vie végétale,
quelque chose d'inhumain faisait peser sur

les décombres et les plantes voraces fixées comme des êtres terrifiés une angoisse qui protégeait avec une force de cadavre ces figures dont le geste séculaire régnait sur une cour de mille-pattes et de bêtes des ruines. Perken le dépassa : ce monde d'abîme sous-marin perdit sa vie comme une méduse jetée sur une grève, sans force tout à coup contre deux hommes blancs. « Je vais chercher les instruments ». Son ombre s'enfonça dans le tunnel où les pariétaires déchirés pendaient.

Il semblait que la tour principale se fût écroulée tout entière d'un seul côté, car trois de ses murs étaient restés debout, à l'extrémité du plus gros amoncellement. Entre eux, le sol avait été jadis profondément creusé : les indigènes chercheurs de trésors étaient venus, après les incendiaires siamois. Au centre même de l'excavation, une termitière se dressait, pointue, couleur de ciment, abandonnée sans doute. Perken revint, une scie à métaux et un bâton à la main, un marteau sortant la tête de sa poche gauche distendue par un poids. Il en tira une masse de carrier et l'emmancha au bout du bâton.

— Svay est resté au village, comme je le lui ai dit. »

Claude avait déjà saisi la scie, dont la

monture nickelée brillait sur la pierre sombre. Près d'un des murs, écroulé en escalier
et dont un bas-relief était à sa portée, il
hésitait.

— Qu'avez-vous ? demanda Perken.

— C'est idiot... J'ai l'impression que ça
ne marchera pas...

Il voyait cette pierre comme pour la première fois ; il ne pouvait échapper à l'idée
d'une disproportion entre elle et la scie,
d'une impossibilité. Il attaqua le bloc, après
l'avoir mouillé. La scie pénétra dans le grès
en grinçant. Au cinquième effort elle glissa ;
il la sortit de l'entaille : plus une dent.

Ils possédaient deux douzaines de lames ;
l'entaille était profonde d'un centimètre. Il
jeta la scie et regarda devant lui : par terre,
nombre de pierres portaient des fragments
de bas-reliefs presque effacés. Il ne leur avait
pas prêté attention encore, obsédé par les
murs. Celles dont la face sculptée était tournée du côté du sol n'auraient-elles pas été
protégées par la terre ?

Perken avait devancé sa pensée. Il avait
appelé les conducteurs, qui firent rapidement
des leviers avec de jeunes arbres et commencèrent à retourner les blocs. La pierre, lentement, se soulevait, pivotait sur l'une de
ses faces et retombait avec un han ! sourd,

montrant, à travers le réseau que traçait la
fuite des cloportes affolés, les traces d'une
figure. Sur l'alvéole laissée dans la terre,
nette et vernie comme un moule, un nouveau
bloc tombait et, une à une, les pierres montraient leurs faces rongées par le sol depuis
le dernier siècle des invasions siamoises, à
travers l'épouvante des insectes dont les
lignes tremblantes se brisaient en se préci-
pitant vers la forêt avec une infime frénésie.
Plus les bas-reliefs montraient leurs formes
ravagées, plus s'imposait de nouveau à Claude
la certitude que, seules, les pierres qui formaient l'un des pans restés debout du temple
principal pourraient être emportées.

Sculptées sur les deux côtés, les pierres
d'angle figuraient deux danseuses : le motif
était sculpté sur trois pierres superposées.
Celle du sommet, sous une poussée assez
forte, tomberait sans doute.

— Combien ça vaut-il, à votre avis ?
demanda Perken.

— Les deux danseuses ?

— Oui.

— Difficile à savoir ; en tous cas, plus de
cinq cent mille francs.

— Vous êtes sûr ?

— Oui. »

Ces mitrailleuses qu'il était allé chercher

en Europe, elles étaient là, dans cette forêt
qu'il connaissait, dans ces pierres... Y avait-il
des temples dans sa région ? Peut-être pouvait-il attendre d'eux beaucoup plus que ses
mitrailleuses ; ne pourrait-il pas, s'il trouvait là-haut quelques temples, intervenir à
Bangkok, en même temps qu'il armerait ses
hommes ? Un autre temple : dix mitrailleuses, deux cents fusils... En face de ce
monument, il oubliait le grand nombre de
temples sans sculpture, il oubliait la Voie... Il
imaginait ses défilés, avec la ligne éclatante
du soleil sur le canon des mitrailleuses, l'étin-
celle du point de mire...

Déjà Claude faisait dégager le sol, afin
que la pierre ne se brisât pas en en rencontrant une autre. Pendant que les hommes
maniaient les blocs, il la regardait : sur l'une
des têtes, dont les lèvres souriaient comme
le font d'ordinaire celles des statues khmères,
une mousse très fine s'étendait, d'un gris
bleu, semblable au duvet des pêches d'Europe. Trois hommes la poussèrent de l'épaule,
en mesure : elle bascula, tomba sur sa tranche
et s'enfonça assez profondément pour rester
droite. Son déplacement avait creusé dans
la pierre sur laquelle elle reposait deux raies
brillantes, que suivaient en rang des fourmis
mates, tout occupées à sauver leurs œufs.

Mais cette seconde pierre, dont la face supérieure apparaissait maintenant, n'était pas posée comme la première ; elle était encastrée dans le mur encore debout, prise entre deux blocs de plusieurs tonnes. L'en dégager ? il eût fallu jeter bas tout le mur ; et si les pierres des parties sculptées, d'un grès choisi, pouvaient être à grand'peine maniées, les autres, énormes, devaient rester immobiles jusqu'à ce que quelques siècles, ou les figuiers des ruines les jetassent à terre.

Comment les Siamois avaient-ils pu détruire tant de temples ? On parlait d'éléphants, attelés à ces murs en grand nombre... Pas d'éléphants. Il fallait donc couper ou casser cette pierre pour séparer la partie sculptée, dont les dernières fourmis s'enfuyaient, de la partie brute encastrée dans le mur.

Les conducteurs attendaient, appuyés sur leurs leviers de bois. Perken avait sorti de sa poche son marteau et un ciseau : sans doute le plus sage, en effet, était-il de tracer au ciseau une étroite tranchée dans la pierre, et de la détacher ainsi. Il commença de frapper. Mais, soit qu'il employât mal l'outil, soit que le grès fût très dur, ne sautaient que des fragments de quelques millimètres d'épaisseur.

Les indigènes seraient plus maladroits que lui encore.

Claude ne quittait pas la pierre du regard... Nette, solide, lourde, sur ce fond tremblant de feuilles et de ronds de soleil; chargée d'hostilité. Il ne distinguait plus les raies, ni la poussière du grès; les dernières fourmis étaient parties, sans oublier un seul de leurs œufs mous. Cette pierre était là, opiniâtre, être vivant, passif et capable de refus. En Claude montait une sourde et stupide colère : il s'arc-bouta et poussa le bloc, de toute sa force. Son exaspération croissait, cherchant un objet. Perken, le marteau en l'air, le suivait du regard, la bouche à demi ouverte. Cet homme qui connaissait si bien la forêt ignorait tout des pierres. Ah! avoir été maçon six mois! Faire tirer les hommes, tous à la fois, sur une corde?... Autant gratter avec les ongles. Et comment passer une corde ? Cependant c'était sa vie menacée qui était là... Sa vie. Tout l'entêtement, la volonté tendue, toute la fureur dominée qui l'avaient guidé à travers cette forêt, tendaient à découvrir cette barrière, cette pierre immobile dressée entre le Siam et lui.

Plus il la regardait et plus il était certain qu'il n'atteindrait pas le Ta Mean avec les charrettes; et les pierres du Ta Mean ne

seraient-elles pas semblables à celles-ci ?
La volonté de vaincre le bouleversait comme
la soif ou la faim, serrait ses doigts sur le
manche du marteau qu'il venait d'arracher
à Perken. De rage, il cogna sur la pierre de
toute sa force ; le marteau rebondit plusieurs
fois avec un bruit ridicule dans le silence ;
le pied de biche poli qui le terminait brilla
en traversant un rayon de soleil. Il s'arrêta, le
ragard fixe, puis précipitamment, comme s'il
eût craint que son idée ne lui échappât, il
retourna le marteau et frappa de nouveau,
à toute volée, près de l'encoche brillante
laissée par le ciseau de Perken. Un morceau
de plusieurs centimètres de long sauta ;
aussitôt il lâcha le marteau, frotta ses paupières... Par chance, la poussière du grès
seule les avait atteintes. Dès qu'il vit clair de
nouveau, il sortit de sa poche ses lunettes
noires et en protégea ses yeux, puis, il recommença à frapper. Le pied-de-biche était un
instrument efficace : il atteignait le grès sans
l'intermédiaire d'un ciseau, avec plus de force
et beaucoup plus souvent. Sous chaque coup.
une large écaille sautait ; dans quelques
heures...

Il fallait faire couper par les indigènes
les roseaux qui obstruaient tous les passages ; Perken reprit le marteau. Claude,

pour préparer le chemin, s'était un peu
éloigné avec les conducteurs : il entendait les
coups nets, rapides et inégaux comme ceux
des manipulateurs de télégraphe, qui dominaient le bruit des roseaux fauchés, humains
et vains dans l'immense silence de la brousse,
dans la chaleur... Quand il revint, des écailles
de grès jonchaient le sol autour d'une coulée
de poussière dont la couleur l'étonna : blanche, bien que le grès fût violet. Perken se
retourna, et Claude vit l'entaille, claire
comme la poussière, large, car il était impossible de frapper toujours au même endroit...

A son tour, il se remit au travail. Perken
continua à préparer la piste, en faisant déblayer le chemin : il serait difficile de trans-
porter les blocs ; le plus simple serait donc
de les faire tourner de face en face, après en
avoir écarté les cailloux. Mètre par mètre,
la piste s'allongeait sous les ombres maintenant verticales ; le bruit des coups de marteau demeurait seul dans cette lumière de
plus en plus jaune, ces ombres de plus en
plus courtes, cette chaleur de plus en plus
intense. Elle ne pesait pas sur les épaules,
elle agissait comme un poison, détendant peu
à peu les muscles, tirant la force avec la
sueur qui coulait sur les visages et formait
avec la poussière du grès, sous les lunettes

noires, de longues rigoles, comme sous des yeux arrachés. Claude frappait presque sans conscience, comme marche un homme perdu dans un désert. Sa pensée en miettes, effondrée comme le temple, ne tressaillait plus que de l'exaltation de compter les coups : un de plus, toujours un de plus... Désagrégation de la forêt, du temple, de tout... Un mur de prison, et comme des coups de lime, ces coups de marteau, constants, constants.

Soudain, un vide : tout reprit vie, retomba à sa place comme si ce qui entourait Claude se fût écroulé sur lui ; il resta immobile, atterré. Perken n'entendant plus rien fit quelques pas en arrière : les deux pattes du pied-de-biche venaient de casser.

Il courut, prit le marteau des mains de Claude, songea à user ou limer en pied-de-biche la cassure, vit l'absurdité de ce projet, et, furieux, frappa la pierre à toute volée comme Claude l'avait fait tout-à-l'heure. Enfin il s'assit, s'efforçant de réfléchir. Ils avaient acheté plusieurs manches, par prudence, mais un seul fer...

Les réflexions qui s'imposaient, Claude les retrouvait en se délivrant de l'impression de catastrophe qui l'avait envahi : c'étaient celles qu'il avait faites avant de penser au pied-de-biche. De même que l'idée d'employer ainsi

le marteau s'était imposée soudain, quelque
autre idée ne s'imposerait-elle pas maintenant ? Mais la fatigue, la lassitude, un dégoût
de créature exténuée le pénétraient. Se coucher... Après tant d'efforts, la forêt reprenait
sa puissance de prison. Dépendance, abandon
de la volonté, de la chair même. Comme si
le sang, pulsation à pulsation, s'écoulait... Il
s'imagina là, les bras serrés contre la poitrine
comme par la fièvre, recroquevillé, perdant
toute conscience, obéissant avec le sentiment d'une libération aux sollicitations de la
brousse et de la chaleur ; et soudain, il trouva
dans la terreur le besoin de se défendre
encore. Dans l'entaille triangulaire, la poussière du grès coulait doucement, brillante et
blanche comme du sel, accentuant, par sa
chute de sablier, la masse de la pierre, de la
pierre qui reprenait une vie indestructible,
une vie de montagne : le regard en restait
prisonnier. Il se sentait lié à elle par la haine
comme à un être animé ; et c'était bien ainsi
qu'elle gardait le passage et qu'elle le gardait
lui-même, qu'elle se chargeait soudain de
l'élan qui depuis des mois portait sa vie.

Il s'efforçait d'appeler à son aide son intelligence diluée dans cette forêt... Il ne s'agissait plus de vivre avec intelligence, mais de
vivre. L'instinct, libéré par l'engourdisse-

ment de la brousse, le portait contre cette pierre, les dents serrés, l'épaule en avant.

Regardant du coin de l'œil l'entaille ainsi qu'il l'eût fait d'une bête aux aguets, il prit la masse de carrier et en frappa le bloc, après une sorte de moulinet de tout son corps. La poussière du grès recommença de couler. Il la regarda, fasciné par sa ligne brillante ; sa haine se concentrait sur elle, et sans la quitter du regard, il frappa à grands coups, le buste et les bras liés à la masse, oscillant sur les jambes comme un lourd balancier. Il n'avait plus de conscience que dans les bras et les reins ; sa vie, l'espoir de sa dernière année, le sentiment d'un échec, se confondaient en fureur et ne vivait plus que dans le choc frénétique qui l'ébranlait tout entier, et le délivrait de la brousse comme un éblouissement.

Il s'arrêta. Perken venait de se courber devant l'angle du mur.

— « Attention : la pierre que nous attaquons est *seule* encastrée. Voyez celle du dessous : elle n'est que posée, comme l'était celle du dessus : il faut d'abord la dégager. Ensuite, celle-ci sera en porte-à-faux, et comme l'entaille ne lui a fait aucun bien... »

Claude appela deux des Cambodgiens et tira de toute sa force la pierre du dessous,

tandis qu'ils la poussaient. En vain : la terre,
et, sans doute, des petits végétaux, la rete-
naient. Il savait que les temples khmers
n'ont pas de fondations ; il fit aussitôt creuser
une petite tranchée autour d'elle, puis au-
dessous, pour la dégager. Les paysans, qui
avaient travaillé très vite et très habilement
lorsqu'ils avaient creusé autour de la pierre,
travaillaient maintenant avec lenteur : ils
craignaient que le bloc ne leur broyât les
mains. Il les remplaça. Quand le trou fut
assez profond, il fit couper quelques troncs
et plaça des étais ; l'odeur de la terre moite,
des feuilles pourries, des pierres lavées par
les pluies, plus forte que jamais, imprégnait
ses vêtements de toile trempés. Enfin,
Perken et lui purent extraire la pierre : elle
bascula, montrant sa face inférieure couverte de cloportes incolores qui, fuyant les
coups, s'étaient réfugiés sous elle.

Ils possédaient maintenant les têtes et
les pieds des danseuses. Les corps restaient
seuls sur la seconde pierre dégagée, qui sortait du mur comme un créneau horizontal.

Perken prit la masse et recommença de
frapper la pierre supérieure. Il avait espéré
qu'elle cèderait au premier coup, mais il n'en
était rien, et il continuait à frapper, mécani-
quement, repris par la fureur... Une seconde,

il vit ses défilés sans mitrailleuses ravagés, bouleversés comme par le passage des éléphants sauvages. Des coups répétés, de la perte de sa lucidité, un plaisir érotique montait, comme de tout combat lent ; ces coups, de nouveau, l'attachaient à la pierre...

Soudain — différence de son sous le coup — sa respiration se suspendit ; il arracha ses lunettes : une vision brouillée, bleue et verte, se précipita en lui ; mais, tandis que ses paupières battaient, une autre vision s'imposait, plus forte que celle de tout ce qui l'entourait : la cassure ! Le soleil scintillait sur elle ; la partie sculptée, portant, elle aussi, sa cassure nette, gisait dans l'herbe comme une tête tranchée.

Il respira enfin, lentement, profondément. Claude, lui aussi, était délivré ; plus faible, il eût pleuré. Le monde reprenait possession de lui comme d'un noyé ; la stupide gratitude qu'il avait connue en découvrant la première figure sculptée l'envahissait à nouveau. En face de cette pierre tombée, la cassure en l'air, un accord soudain s'établissait entre la forêt, le temple et lui-même. Il imagina les trois pierres, superposées : deux danseuses parmi les plus pures qu'il connût. Il fallait maintenant les charger sur les charrettes... Sa pensée ne s'en libérait pas ; endormi, il se

fût réveillé pour peu qu'on les transportât.
Sur la piste préparée, les indigènes, maintenant, poussaient les trois blocs l'un après
l'autre. Il regardait cette possession durement acquise, écoutant le choc amorti des
faces qui, une à une, aplatissaient les tiges
des roseaux, et comptant, à demi-conscient,
les chocs successifs, comme un avare de
l'argent.

Les indigènes s'arrêtèrent devant l'éboulis
de la porte. Les bœufs, de l'autre côté, ne
meuglaient pas, mais on les entendait gratter
la terre du sabot. Perken fit couper deux
troncs d'arbre, entoura de cordes l'une
des pierres sculptées et la fixa au tronc,
que six indigènes placèrent sur leur épaule ;
ils furent incapables de la soulever. Claude
en remplaça deux, l'un par le boy, l'autre
par lui-même.

— « Levez ! »

Les porteurs se redressèrent, tous ensemble
cette fois, lentement, dans un absolu silence.

Une branche craqua, puis plusieurs autres,
une à une ; le bruit des craquements s'approcha. Claude s'était arrêté et regardant la
forêt, mais, une fois de plus, ne distinguait
rien. Un habitant curieux du dernier village ne se fût pas caché... Svay, peut-être ?...
Claude fit signe à Perken qui prit sa place

sous le tronc, puis avança vers le lieu d'où les bruits étaient venus, en sortant son revolver. Les indigènes, qui avaient entendu le craquement de la gaîne, puis, écho affaibli, le déclic du cran d'arrêt libéré, regardaient sans comprendre, inquiets. Perken, cessant de soutenir le tronc de ses mains, le laissa peser de tout son poids sur son épaule et sortit, lui aussi, son revolver. Claude, déjà entré sous les arbres, ne voyait qu'une ombre plus ou moins dense tachée çà et là de toiles d'araignées. Vouloir trouver là un indigène, familier avec la forêt, était folie. Perken n'avançait pas. A deux mètres au-dessus de la tête de Claude des branches s'abaissèrent puis se relevèrent d'un coup, élastiques, libérant des boules grises qui s'abattirent sur d'autres branches auxquelles elles firent décrire une grande courbe : des singes. Claude, furieux et délivré à la fois, se retourna, croyant trouver partout des rires ; mais aucun indigène ne riait ; Perken non plus. Claude alla vers lui :

« Des singes !

— Pas seuls : les singes ne font pas craquer les branches. »

Claude remit son revolver dans sa gaîne : geste vain dans le silence retombé, sur toutes les vies unies en l'étouffante gangrène de la forêt...

Il revint vers le groupe immobile, et reprit
sa place sous le tronc. En quelques minutes
l'éboulis fut franchi. Il fit approcher les charrettes le plus près possible, si bien que Perken
dut ordonner aux conducteurs de reculer pour
pouvoir manœuvrer. Attentifs aux mouvements de leurs petits buffles, ils regardaient
les pierres sculptées, sur lesquelles se croisaient les cordes, avec une grande indifférence.

Il resta le dernier. Les charrettes couvertes
plongeaient lentement dans le feuillage, d'un
mouvement saccadé, comme des barques sur
la mer. Les essieux, à chaque tour de roue,
grinçaient ; un coup étouffé, à intervalles
réguliers... Quelque souche, chaque fois
qu'une charrette passait ? A peine regardait-il
le trou qu'avait laissé leur passage dans la
verdure, la jonchée des roseaux dont quelques-uns, mal écrasés, se redressaient lentement, et la giclure que faisait toujours, en
s'écrasant sur la cassure du mur, le rayon de
soleil qui avait brillé sur le pied-de-biche.
Il sentait chacun de ses muscles se détendre
et la fatigue rejoindre en lui la chaleur, la
somnolence et la fièvre. La forêt, la force des
lianes et des feuilles spongieuses s'affaiblis-
saient pourtant : ces pierres conquises le
défendaient contre elle. Sa pensée n'était
plus là : elle était enchaînée au mouvement

qui poussait en avant les charrettes alourdies.
Elles s'éloignaient en grinçant, avec un son
nouveau, né de leur charge, vers les montagnes
prochaines. Il secoua sa manche sur laquelle
étaient tombées des fourmis rouges, sauta
à cheval et rejoignit le convoi. Au premier
espace libre il dépassa les charrettes, l'une
après l'autre : les conducteurs somnolaient
toujours.

III

La nuit, enfin : une étape de plus vers les montagnes, les charrettes dételées, et, sous le toit de la sala[1], comme dans une poche, possédées, les pierres. Un délassement de bain... Claude marchait entre les pilotis qui soutenaient les paillottes. Protégées par un petit toit de chaume, devant de sauvages bouddhas de glaise, des baguettes brûlaient, points roses dans la grande lumière de la lune. Sur le sol, une ombre dépassa ses pieds, s'approcha de la sienne en silence. Il se retourna ; le boy qui venait derrière lui s'arrêta, noir et net sur les feuilles de bananiers presque phosphorescentes.

« Mssié, Svay parti.

— Sûr ?

— Sûr.

— Bon débarras. »

1. L'abri des voyageurs.

Le boy aux pieds nus disparut, comme s'il se fût confondu avec la lumière imprégnant la clairière. : Il n'est décidément pas sans qualités », pensa Claude.

De toute évidence, Svay obéissait à des ordres... Combattre un ennemi connu n'était pas pour déplaire à Claude ; dans un conflit précis, il retrouvait son acharnement. Il s'étendit dans la sala où Perken dormait déjà couché sur le ventre, les mains à demi ouvertes.

Il ne pouvait calmer la surexcitation que lui causait sa possession. L'éclat de la lune semblait donner aux voix des paysans une longue résonnance ; elles devinrent de plus en plus rares. Le murmure d'un conteur, et, quelquefois, une rumeur venaient encore de la paillotte du chef du village ; il cessa lui aussi, et le silence tropical s'établit, lié à l'air saturé de lune, troublé de loin en loin par un cri solitaire de coq qui se perdait dans une paix de planète éteinte.

Au milieu de la nuit, un bruit confus l'éveilla. Très faible, si faible qu'il s'étonna qu'il eût troublé son sommeil ; comme de ramures traînées au ras du sol. Son premier regard fut pour les pierres, qu'il avait fait placer entre le lit de camp de Perken et le sien. Des pirates n'auraient pas choisi, pour attaquer

un village, le moment où s'y trouvaient des
blancs. Sa fatigue et sa paresse diminuaient
à mesure qu'il s'éveillait. Il fit quelques pas
devant la sala, mais ne vit que le village endormi et son ombre, longue et bleue... Recou-
ché, il demeura près d'une heure l'oreille
au guet ; sous le vent mou de la nuit, l'air
palpitait comme une eau Plus rien que
quelques mugissements, de plus en plus
rares, de bœufs mal éveillés... Enfin, il se
rendormit.

Il trouva en s'éveillant au lever du soleil
une des joies les plus complètes qu'il eût
connues. L'acharnement qui depuis des mois
le poussait furieusement vers une action si
incertaine était justifié. Il sauta du plancher
à terre, sans emprunter l'échelle, et se dirigea
vers le seau d'eau auprès duquel se tenait le
boy rayé de haut en bas, comme un forçat,
par les ombres des branches.

« Mssié, dit celui-ci à mi-voix, pas moyen
trouver charrettes dans village. »

Claude, par un instinct de défense, voulut
faire répéter la phrase, mais s'aperçut aussitôt que c'eût été bien inutile :

— Où ça charrettes du village ?

— Forêt, sûr. Parties cette nuit.

— Svay ?

— Personne autre moyen faire ça. »

Impossible de relayer. Sans charrettes, pas de pierres. Ce bruit de ramures, cette nuit...

— Et nos charrettes, à nous ?

— Conducteurs, sûr pas vouloir aller plus loin. Moi moyen demander ? »

Claude courut à la sala et éveilla Perken qui sourit en voyant les pierres.

— Svay a filé cette nuit avec les charrettes du village et leurs conducteurs. Donc, impossible de relayer. Et les conducteurs avec lesquels nous sommes venus vont vouloir regagner leur village, naturellement. Mais éveillez-vous donc ! »

Perken se plongea la tête dans l'eau ; au loin, des singes crièrent. Il s'épongea et revint vers Claude qui, assis sur un lit, semblait compter sur ses doigts :

« Première solution : aller chercher les types qui ont filé...

— Non.

— Un seau d'eau fait faire de grands progrès à la lucidité ! Obliger nos propres conducteurs à continuer.

— Non. Un otage, peut-être...

— C'est-à-dire ?

— Garder l'un d'eux à vue et annoncer aux autres qu'il sera fusillé si nous sommes abandonnés.

Xa revenait, avec un visage d'enfant vieillot et sérieux, deux casques à la main : le soleil, déjà, atteignait leur tête.

« Mssié, moi allé voir : conducteurs à nous partis aussi.

— Quoi ?

— Moi dire eux pas partis parce que moi voir charrettes. Charrettes à nous pas parties ; charrettes villages seulement parties. Mais conducteurs partis tous. »

Claude marcha vers la paillotte derrière laquelle les charrettes s'étaient rangées hier soir au retour du temple ; elles étaient là, près des petits bœufs attachés. Svay avait-il craint, en venant les chercher si près de la sala, de réveiller les blancs ?

— Xa ? Toi savoir conduire charrette ?

— Sûr, Mssié. »

Le village était désert. Quelques femmes seulement. Abandonner les chevaux, conduire chacun une charrette ? Il ne s'agissait que de laisser les bœufs suivre ceux qui les précédaient, conduits, eux, par Xa. Trois charrettes en tout. C'était peu. Et abandonner les chevaux... En cas d'attaque, comment se défendre, d'une charrette ? Il fallait toute l'exaltation que lui imposait la volonté de continuer, d'avancer toujours, contre la forêt et contre les hommes, pour combattre l'apau-

vrissement qui montait de cet abandon et
commençait à rendre sa puissance à la brousse
matinale.

« Xa, cria Perken, où ça guide ?

— Lui foutu le camp, Mssié... »

Plus de guide. Traverser les montagnes,
trouver le col, et le trouver seuls ; puis dans
les derniers villages aux paysans impaludés
au-dessus de qui tourneraient, le soir, des
colonnes de moustiques denses comme les
rayons du soleil, vivre, trouver des conducteurs, continuer enfin,..

« Nous avons la boussole, dit Claude, et
Xa. Les chemins sont si rares qu'ils sont
sans doute visibles...

— Si vous voulez à toute force finir sous
la forme d'un petit tas grouillant d'insectes,
le moyen ne me paraît pas mauvais. Mettez
votre casque sur votre tête au lieu de le
garder à la main, le soleil monte... »

« Essayons » avait envie de répondre
Claude. Mais, malgré sa volonté d'échapper
à ce village dont les habitants semblaient
avoir fui devant une invasion, à cette clairière cernée de grands troncs que gran-
dissait encore la lumière matinale, il hésitait.
Il continuerait d'avancer, de quelque façon
que ce fût, cela seul était certain. Comment ?

« — Dans cette région, reprit Perken,

bien des hommes connaissent le chemin des montagnes. Je vais aller avec Xa au petit village sans sala, Také, que nous avons vu avant d'arriver ici. Inutile d'espérer des conducteurs. Mais j'amènerai un guide : je ne crois pas que Svay soit passé là. »

Déjà, le boy préparait les selles.

Les deux silhouettes durement secouées par le trot des petits chevaux s'enfonçaient dans la tranchée de feuilles, comme des mineurs dans la terre ; noires, elles apparaissaient soudain en vert, de loin en loin, lorsque quelque rayon de soleil s'écrasait sur la piste... « S'ils trouvent un guide aussitôt, pensa Claude, s'ils le font courir, ils seront de retour à midi... Oui, *s'ils trouvent un guide*... » Svay aurait-il fait déserter Také comme il avait fait déserter ce village ?

Les échelles avaient été rentrées dans les paillottes. A travers le tremblement de l'air, tout commençait à s'agiter de l'imperceptible transe que déclanche la venue de la grande chaleur... Il alla s'étendre sur son lit de camp, le menton dans les mains. Un guide, jusqu'aux montagnes ?... De tous les côtés de la clairière, autour du trou de lumière frémissante et des constructions humaines, la forêt s'étendait, immobile et mouvante à la fois. A sa surface, la lumière parcourue de lents frissons se décomposait en moire ; elle le pénétrait jusqu'à la stupeur, chacune de ses ondes venant mourir, tiède et souple, sur sa peau en sueur ; il sombra dans une rêverie voilée de grandes taches de sommeil.

Le pas lointain et précipité des chevaux l'éveilla. Onze heures. Ce guide courait singulièrement vite... Il écouta, les sourcils froncés, sans souffie. Le bruit montait de la terre : les chevaux, dans la profondeur des feuilles, galopaient... Un homme ne peut pas, après deux heures de course, suivre des chevaux qui galopent. Pourquoi ce retour si rapide ? Il s'efforça en vain d'entendre un bruit de pas ; rien que le grand silence de la clairière, un bourdonnement fin d'insectes au ras de terre et, au loin, le son saccadé des sabots...

Il courut au chemin. Tac, tacatac, tac... les chevaux approchaient. Enfin, il distingua des ombres, soulevées et abaissées par le galop : puis, les deux cavaliers traversant une tache de soleil, il les vit nettement, penchés sur le cou des chevaux, le casque en arrière ; personne ne courait entre eux. Il eut l'impression, non d'un effondre-

ment mais d'une décomposition lente, fade,
irrésistible... Les deux hommes, redevenus
des ombres, traversèrent un autre rayon et
furent éclairés de nouveau : Xa de plus en
plus penché, deux taches blanches sur les
épaules — des mains — se détachait sur une
forme vague : un homme était en croupe
derrière lui.

— Alors ?

— Ça se présente mal !

Perken sauta de cheval.

— Svay ?

— Il fait bien son métier. Il est allé là-
bas, il a réquisitionné ceux qui connaissent
les cols pour les emmener vers le Sud.

— Mais ce type que vous ramenez ?

— Il connaît le chemin des villages Moïs.

— Quelles sont les tribus, par là ?

— Les Ke-diengs des Stiengs. Il n'y a
pas d'autre solution.

— Que de passer tout de suite en pays dis-
sident ?

— Oui. En suivant la Voie, nous avons
encore une partie inconnue, une partie soumise, et une partie dissidente. Dans la partie
soumise, Dieu sait ce que peut inventer
l'administration française !

— Ramèges va devenir furieux dès qu'il
va savoir que nous avons trouvé.

— Donc, il faut abandonner le grand col et passer en dissidence. Ce guide connaît les sentiers qui mènent au premier village Stieng, celui où se font les échanges ; de là au Siam, par les petits cols.

— Nous partons vers l'Ouest ?

— Oui.

— Donc, vous ne connaissez pas ces Stiengs ?

— Mais il faut évidemment choisir la région où se trouve Grabot. Le guide sait seulement qu'il y a un blanc par là. Mais il comprend le dialecte Stieng. Au village, nous changerons de guide — puisqu'il faut faire officiellement demander le passage aux chefs, nous verrons bien ce qu'ils répondront... — J'ai encore deux thermos pleines d'alcool et les verroteries, c'est plus que ne vaut un passage... Je ne les connais pas, mais je pense qu'eux savent qui je suis. Si Grabot ne veut pas que nous allions où il est, il enverra un guide pour nous faire passer par un détour quelconque...

— Vous êtes sûr qu'ils nous laisseront passer ?

— Nous n'avons pas le choix. Puisque de toute façon nous devons aller chez des insoumis, un peu plus tôt, un peu plus tard... Le guide dit que ceux-ci sont des guerriers, mais qu'ils reconnaissent le serment de l'alcool de riz... »

Le Cambodgien trapu, le nez courbé comme celui des Bouddhas, venait de quitter le cheval, et, les mains croisées, attendait. Quelque part, on affilait un coupe-coupe sur une pierre, pour ouvrir des noix de coco sans doute. Xa prêta l'oreille. Le bruit cessa : par les trous des claies, les femmes inquiètes, la prunelle agile, observaient les blancs.

— Qu'est-il venu faire ici, Grabot ?

— De l'érotisme, d'abord (bien que les femmes de cette région soient beaucoup plus moches que celles du Laos), : le pouvoir doit se définir pour lui par la possibilité d'en abuser...

— Intelligent ?

Perken se mit à rire mais s'arrêta aussitôt comme si le son de son rire l'eut surpris.

— Quand on le connaît, la question est comique, et pourtant... Il n'a jamais réfléchi qu'à lui-même, qu'à ce qui l'isole plutôt, mais comme d'autres pensent au jeu ou au pouvoir... Ce n'est pas quelqu'un, mais c'est sûrement quelque chose. A cause du courage, il est beaucoup plus séparé du monde que vous ou moi parce qu'il n'a pas d'espoir, même informe, et que le goût de l'esprit, aussi affaibli qu'il soit, relie à l'univers. Il m'a dit un jour, parlont des « autres », de ceux pour qui les hommes comme lui n'existent pas, des « soumis » : « On ne les atteint jamais qu'à travers leur plaisir ; il faudrait inventer quelque chose comme la syphilis. » Il est arrivé aux bataillons plein d'enthousiasme à l'égard des bataillonnaires qu'il ne connaissait pas encore. Sur le bateau, une toile séparait « les nouveaux » des récidivistes et des évadés repris. Une toile avec deux ou trois trous. Il commence à regarder, et se retire brusquement : quelque chose arrive comme un coup : un doigt tendu avec un ongle rongé encore pointu, fort apte à crever son autre œil... C'est un homme réellement *seul*, — et comme tous les hommes seuls, obligé de meubler sa solitude, ce qu'il fait avec le courage... Je voudrais vous expliquer... »

Il réfléchissait.

« Si tout cela est exact, pensait Claude, il ne peut vivre que sur quelque chose d'indiscutable, qui lui permette de s'admirer... »

Le bruissement d'ailes des insectes errait à travers le silence. Un cochon noir avança lentement, comme s'il eût pris possession du village muet.

« Voici à peu près ce qu'il me disait : « Te faire casser la gueule, tu t'en fous ou tu ne t'en fous pas. Je joue une belote que

les autres ne jouent pas parce que, crever,
ça leur fout la trouille. Pas à moi : ça sera
très bien ; et pas trop tôt, vu qu'il n'y a guère
que ça que je sois foutu de bien faire. Et
depuis que je me fous de crever, que ça me
plaît plutôt, tout peut se faire : si les choses
vont mal elles ne peuvent toujours pas aller
plus loin que mon revolver... Suffit d'en
finir... » Et il est réellement très brave. Il se
sent peu intelligent, grossier dès qu'il retourne dans les villes ; alors, il compense :
il est dans le courage comme dans une espèce
de famille... A risquer sa vie, il trouve le
plaisir que nous trouvons tous, mais plus
aigu parce que plus nécessaire. Et il est capable d'aller plus loin que le risque, il a le
goût d'une sorte de grandeur haineuse, rudimentaire, mais tout de même peu commune :
je vous ai raconté comment il a perdu son
œil... Partir seul, absolument seul dans cette
région, cela demande aussi un certain cran...
Vous ne connaissez pas la piqûre du scorpion
noir ? Moi, je connais les mèches : le scorpion est plus douloureux, ce n'est pas peu
dire. Pour avoir éprouvé une violente répulsion nerveuse en en voyant un, il est allé se
faire piquer exprès. Se refuser sans réserves
au monde, c'est toujours se faire souffrir
terriblement pour se prouver sa force. Il y a

dans tout cela un immense orgueil primitif, mais à quoi la vie et pas mal de souffrance ont fini par donner une forme... Pour aider un copain dans une histoire absurde, il a failli être boulotté par les fourmis (moins impressionnant qu'il ne semble d'abord, à cause de sa théorie du revolver).

— Vous ne croyez pas que l'on puisse toujours se tuer ?

— Il n'est peut être pas plus difficile de mourir pour soi-même que de vivre pour soi-même, mais je me méfie... C'est quand on déchoit qu'il faut se tuer, mais c'est quand on déchoit qu'on aime de nouveau la vie... Mais lui le croit, c'est l'important.

— S'il était mort ?

Les paillottes étaient de plus en plus closes.

— On aurait vendu des objets européens, le guide le saurait comme tous ceux qui vont au village du troc. Je l'ai interrogé : on n'a rien vendu. Officiellement, c'est aux chefs indigènes que nous demanderons le passage, en tout état de cause... »

Il regarda autour de lui.

« Des femmes, rien que des femmes... Un village de femmes... ça ne vous touche pas, cette atmosphère où il n'y a rien de masculin, toutes ces femmes, cette torpeur si... si violemment sexuelle ?

— Vous vous exciterez plus loin : d'abord,
partir. »

Le boy réunit les bagages dans une charrette et attela les bœufs. Les attelages, l'un
après l'autre, s'arrêtèrent devant la sala;
les pierres furent descendues, non sans peine,
sur le lit pliant de Claude. Enfin les charrettes
se mirent en marche. Le guide conduisait la
première, Xa la seconde. Claude, allongé dans
la troisième, laissait aller ses bœufs plus qu'il
ne les guidait; Perken, à cheval, fermait la
marche. Le cheval de Claude que le boy avait
mis en liberté, suivait lentement, la tête
baissée. Sa docilité éclaira le Danois. « Le
plus sage, pensa-t-il, est de ne pas l'abandonner. » Et il l'attacha par la bride à la
dernière charrette, devant lui. Au moment où
la courbe du chemin allait faire disparaître le
village, il se retourna : quelques claies étaient
tombées et des visages de femmes les regardaient, perplexes et curieux.

TROISIÈME PARTIE

Cette dissidence à demi-sauvage était aussi
douteuse, aussi menaçante que la forêt. Au
village du troc, plus pourri que les temples,
les derniers Cambodgiens, terrorisés, élu-
daient toutes les questions sur les villages,
sur les chefs, sur Grabot... (Il semblait pourtant qu'ils eussent entendu parler de Perken). Plus rien de la nonchalance voluptueuse
du Laos et du Bas-Cambodge : la sauvagerie
avec son odeur de viande. Enfin, contre les
deux bouteilles d'alcool européen, les messa-
gers annoncèrent que le passage et un guide
étaient accordés. Restait à savoir par qui ;
mais, depuis qu'ils montaient vers le centre
stieng, une plus grave inquiétude pesait sur
eux. Perken venait d'arrêter Claude, d'un
coup de poing sur le bras.

— Regardez à vos pieds. Sans bouger.

A cinq centimètres de son pied droit,

deux morceaux de bambou extrêmement
affilés sortaient, en pointes de fourche.

Perken tendit un doigt.

— Quoi encore ?

Il sifflait entre ses dents, sans répondre ; il
lança en avant sa cigarette. Après une courbe
très rouge dans l'air verdâtre épaissi par la
fin du jour, elle atteignit l'humus : à côté,
deux nouvelles pointes.

« Qu'est-ce que c'est que ces trucs-là ?

— Les lancettes de guerre.

Claude regardait le Moï qui les attendait,
— ils avaient changé de guide au village —
appuyé sur son arbalète.

— Il n'aurait pas dû nous prévenir,
celui-là ?

— Ça va mal... »

Ils reprirent leur marche, traînant les pieds
au ras du sol, derrière la tache jaunâtre du
guide dont Claude ne voyait plus que le
pagne d'une saleté sanglante : ni tout à fait
animal, ni tout à fait humain. Chaque fois
que le pied, au lieu de râcler le sol, devait se
lever — souches, troncs — les muscles de
la jambe se contractaient, dans la crainte d'un
pas trop rapide ; relié au danger par eux,
Claude tombait à une vie d'aveugle. A ses
yeux presque inutiles, quelque effort qu'il
fît, se substituait son odorat que frappaient

des bouffées d'air chaud imprégnées d'humus, angoissantes : comment voir les lancettes, si les feuilles pourries envahissaient le sentier ? Dépendance d'esclave, jambes liées... Il se défendait contre cette marche prudente, mais ses mollets contractés étaient plus forts que son esprit.

— Et nos bœufs, Perken ? S'il en tombe un...

— Pas grand danger : ils sentent les pointes beaucoup mieux que nous. »

Monter dans les charrettes, qui suivaient sous la seule direction de Xa ? C'eût été par trop se priver de défense en cas d'attaque...

Ils traversèrent le lit à nu d'une rivière, reposant comme une halte avec ses cailloux qui ne pouvaient rien dissimuler : à quelques mètres, trois Moïs debout sur le talus d'argile, l'un au-dessus de l'autre, les regardaient, fixés dans une immobilité inhumaine comme si elle ne fût pas venue d'eux-mêmes, mais du silence.

« Si ça tourne mal, nous aurons aussi des ennemis dans le dos. »

Les trois sauvages les suivaient du regard, toujours immobiles : un seul portait une arbalète. La sente était devenue moins obscure, les arbres plus clairsemés : il fallait

toujours marcher avec soin, mais l'obsession
s'affaiblissait. Enfin la lumière des clairières
parut au bout de la sente.

Le guide s'arrêta devant de minces lianes
de rotin tendues à hauteur du cou, et les
détacha. Leurs petites épines brillaient dans
le soleil et s'y perdaient ; Claude ne les avait
pas vues. « Filer d'ici, si ça va mal, ne sera
pas très facile » pensa-t-il.

Le Moï replaçait avec soin les scies.

A travers la clairière, aucun sentier. Pourtant un au moins en partait : celui qu'ils
avaient suivi, et qui continuait au-delà. Malgré
son calme, cette clairière où ils devaient
dormir vivait d'une vie de piège ; une moitié
envahie déjà par l'ombre, l'autre éclairée par
la lumière très jaune qui précède le soir. Pas
de palmes ; l'Asie n'était présente que par
la chaleur, les dimensions colossales de quelques arbres aux troncs rouges et la densité
du silence, à quoi le crissement des myriades
d'insectes et, parfois, le cri solitaire d'un
oiseau qui s'abattait sur l'une des plus hautes
branches, donnaient une étendue solennelle.
Il se refermait sur ces cris perdus comme
une eau dormante ; là-haut, la branche se
balançait lentement, presque noyée dans la
confusion du soir, tandis qu'au-delà de toute
cette végétation sans pistes ni traces qui déva-

lait vers des profondeurs cachées par la brume, des montagnes se détachaient sur le ciel déjà mort. Comme les tarets dans les arbres géants, les Moïs combattaient ici avec des objets fins et meurtriers ; dans ce recueillement, leur vie souterraine et leur inexplicable prudence devenaient plus menaçantes : pour trois hommes sans escorte, conduits par un guide librement envoyé, il n'était pas besoin de lancettes et de rotins ; pourquoi protéger ainsi cette clairière ? « Grabot ne veut-il rien négliger pour assurer sa liberté ? » pensa Claude ; comme si la rareté de la pensée en ce lieu l'eut rendue immédiatement communicable, Perken devina la question :

— Je suis persuadé qu'il n'est pas seul...

— C'est-à-dire ?

— Pas seul *chef*. Ou alors, il aurait été tellement pris par la sauvagerie...

Il hésita. Le mot sembla s'étendre à travers la solennité végétale, justifié presqu'aussitôt par le guide accroupi qui grattait, à son genou, la plaque blanche d'une maladie de peau.

« ... qu'il serait tout-à-fait transformé... »

Encore l'inconnu. L'expédition les jetait sur cet homme comme sur la ligne invisible de la Voie royale. Lui aussi les séparait de

leur destin. Il leur avait pourtant accordé
le passage...

Les photos rapportées de Bangkok par
Perken vivaient en Claude avec l'autorité
de la hantise : un costaud jovial, borgne,
promenant à travers la brousse et les bars
chinois du Siam son casque en arrière et
son gros rire, bouche ouverte et sourcils levés.
Il connaissait ces visages où l'expression de
l'enfant reparaît sous la brutalité de l'homme,
dans le rire, dans les yeux ronds de l'étonnement, dans les gestes : casque enfoncé d'une
grande tape, jusqu'aux oreilles, sur la tête
d'un copain ou sur celle d'un ennemi...
Que restait-il, ici, de l'homme des villes ?
« A moins qu'il n'ait été pris par la sauvagerie... »

Claude chercha le guide : il chantait une
mélopée qu'écoutait Xa, près des bœufs
immobiles ; les feux allumés pour la nuit
crépitaient à petits coups, non loin des lits
dressés sous les moustiquaires (pas de tente
à cause de la chaleur).

— Retire les moustiquaires, dit Perken.

« C'est bien assez que ce sacré feu nous
mette en pleine lumière. Essayons au moins
de voir ceux qui nous attaqueraient ! »

La clairière était vaste, et toute attaque
eût dû traverser d'abord un terrain découvert.

« S'il y a quelque chose, celui qui veille descend le guide, et nous filons derrière ce buisson de droite, pour échapper à la lumière... »

— Même vainqueurs, sans guide...

Tout ce qui pesait sur eux semblait réuni sous la main de Grabot, comme un verrou.

— Que pensez-vous qu'il fasse, Perken ?

— Grabot ?

— Naturellement !

— Si près de lui, de ce que nous attendons de lui, je me méfie de mes prévisions...»

Le feu crépitait toujours ; la flamme, au contraire, montait droite et claire, presque rose, n'éclairant que les volutes saccadées de sa fumée, dessinant des reflets dans la masse du feuillage qui ne se distinguait plus qu'à peine du ciel. En face de l'enjeu qu'il avait engagé, il ne connaissait pas cet homme.

— Malgré les fléchettes, vous croyez qu'il va nous laisser passer ?

— S'il est seul, oui.

— Et vous êtes sûr qu'il ne connaît pas l'importance de ces pierres ?

Perken haussa les épaules :

— Inculte. Moi-même...

— S'il n'est pas seul, son compagnon ?

— Ce n'est certainement pas un blanc. Et le loyalisme est fort, parmi ceux qui

osent monter par ici. Je lui ai rendu des services, à Grabot... »

Il réfléchit, regardant les herbes du sol :

« Je voudrais savoir contre quoi il se
défend... c'est avec ses vieux rêves, avec sa
déchéance que l'on chauffe ses passions...

— Reste à savoir lesquelles.

— Je vous ai parlé d'un homme qui se
faisait attacher, nu, par des femmes, à Bangkok... C'était lui. Ce n'est pas tellement plus
absurde que de prétendre coucher et vivre
— et vivre — avec une autre créature
humaine... Mais lui en est atrocement
humilié...

— De ce qu'on le sache ?

— On ne le sait pas. De le faire. Alors,
il compense. C'est sans doute pour cela surtout qu'il est venu ici... Le courage compense...
Et pour que les petites hontes ne pèsent pas
lourd, il suffit même de ceci...

Comme si la faible ampleur des gestes
humains eût été inconciliable avec cette
immensité, il désignait du menton la clairière et la fuite des monts dans l'ombre.
Du mur d'arbres aux lointains qui se confondaient avec la nuit, du ciel où apparaissaient les étoiles plus claires que le feu à la
grande forêt primitive, la force lente et
démesurée de la chute du jour accablait

Claude de solitude, rendait à sa vie son caractère traqué. Elle le submergeait comme une
invincible indifférence, comme la certitude
de la mort.

— Je comprends qu'il se fiche de la
mort...

— Ce n'est pas d'elle qu'il n'a pas peur,
c'est d'être tué : la mort, il l'ignore. Ne pas
craindre de recevoir une balle dans la tête,
la belle affaire !

Et, plus bas :

« Dans le ventre, c'est déjà plus inquié-
tant... Ça dure... Vous savez aussi bien que
moi que la vie n'a aucun sens : à vivre seul
on n'échappe guère à la préoccupation de
son destin... La mort est là, comprenez-
vous, comme... comme l'irréfutable preuve
de l'absurdité de la vie...

— Pour chacun.

— Pour personne ! Elle n'existe pour personne. Bien peu pourraient vivre... Tous pensent au fait de... ah ! comment vous faire
comprendre ?... d'être tué, voilà. Ce qui
n'a aucune importance. La mort c'est autre
chose : c'est le contraire. Vous êtes trop
jeune. Je l'ai comprise d'abord en voyant
vieillir une femme que... enfin une femme.
(Je vous ai parlé de Sarah, d'ailleurs...)
Ensuite, comme si cet avertissement ne

suffisait pas, quand je me suis trouvé impuis-
sant pour la première fois...

Paroles arrachées, n'arrivant à la surface
qu'en rompant mille racines tenaces. Il continuait :

« *Jamais devant un mort*... Vieillir, voilà,
vieillir. Surtout lorsqu'on est séparé des
autres. La déchéance. Ce qui pèse sur moi
c'est, — comment dire ? ma condition
d'homme : que je vieillisse, que cette chose
atroce : le temps, se développe en moi
comme un cancer, irrévocablement... Le
temps, voilà.

« Toutes ces saletés d'insectes vont vers
notre photophore, soumis à la lumière. Ces
termites vivent dans leur termitière, soumis
à leur termitière. Je ne veux pas être soumis. »

La forêt avait trouvé dans le vaste mouvement du soir son intime correspondance ;
la vie sauvage de la terre montait avec la
nuit. Claude ne pouvait plus interroger :
les mots qui se formaient en son esprit passaient au-dessus de Perken comme d'une
rivière souterraine. Séparé, par toute la forêt,
de ceux pour qui existent raison et vérités,
cet homme, en face de lui, cherchait-il une
assistance humaine contre ses fantômes serrés
près de lui dans l'obscurité ? Il venait de tirer

son revolver : une faible lueur glissa sur le canon.

« Toute ma vie dépend de ce que je pense du geste d'appuyer sur cette gâchette au moment où je suçe ce canon. Il s'agit de savoir si je pense : je me détruis, ou : j'agis. La vie est une matière, il s'agit de savoir ce qu'on en fait — bien qu'on n'en fasse jamais rien, mais il y a plusieurs manières de n'en rien faire... Pour vivre *d'une certaine façon*, [il faut en finir avec ses menaces, la déchéance et les autres : le revolver est alors une bonne garantie, car il est facile de se tuer lorsque la mort est un moyen... C'est là qu'est la force de Grabot... »

La nuit tout à fait venue plongeait jusqu'aux plus lointaines terres de l'Asie, rétablie avec le silence sur les solitudes. Au-dessus du petit bruit des feux, les voix des deux indigènes montaient, claires et monotones mais sans portée, prisonnières ; tout près d'eux, un solide réveille-matin battait avec précision le silence sans fin de la brousse. Plus que les feux, plus que les voix, ce tic-tac rattachait Claude à la vie des hommes, par sa constance, par sa netteté, par ce qu'a d'invincible tout objet mécanique. Sa pensée émergeait, mais nourrie des profondeurs dont elle s'échappait, dominée encore par la puis-

sance du surnaturel qui montait de la nuit
et de la terre brûlée, comme si tout, jusqu'à
la terre, se fût imposé de le convaincre de
la misère humaine.

— Et l'*autre* mort, celle qui est en nous ?

— Exister contre tout cela, (Perken montrait
du regard la menaçante majesté de la nuit)
vous comprenez ce que cela veut dire ?
Exister contre la mort, c'est la même chose.
Il me semble parfois que je me joue moi-
même sur cette heure-là. Et peut-être que
tout va se régler bientôt, par une flèche plus
ou moins dégoûtante...

— On ne choisit pas sa mort...

— Mais d'accepter même de perdre ma
mort m'a fait choisir ma vie. »

La ligne rouge qui suivait l'épaule bougea :
sans doute avait-il avancé la main. Geste
infime, comme cette petite tache humaine
aux pieds perdus dans l'ombre, avec sa voix
saccadée dans l'immensité pleine d'étoiles.
Cette voix seule, entre le ciel éblouissant et
la mort et les ténèbres, venait d'un homme,
mais avec quelque chose de si inhumain
que Claude se sentait séparé d'elle comme
par une folie commençante.

— Vous voulez mourir avec une conscience intense de la mort, sans... faiblir ?...

— J'ai failli mourir : vous ne connaissez

pas l'exaltation qui sort de l'absurdité de la vie, lorsqu'on est en face d'elle comme d'une femme dé...

Il fit le geste d'arracher.

— déshabillée. Nue, tout à coup...

Claude ne pouvait plus détacher son regard des étoiles :

— Nous manquons presque tous notre mort...

— Je passe ma vie à la voir. Et ce que vous voulez dire — parce que, vous aussi, vous avez peur — est vrai : il se peut que je sois moins fort que la mienne. Tant pis ! Il y a aussi quelque chose de... satisfaisant dans l'écrasement de la vie...

— Vous n'avez jamais songé réellement à vous tuer ?

— Ce n'est pas pour mourir que je pense à ma mort, c'est pour vivre. »

Cette tension de la voix n'était celle d'aucune autre passion : une joie poignante, sans espoir, comme une épave tirée de profondeurs aussi lointaines que celle de l'obscurité.

II

Encore des heures de marche, depuis le réveil, entre les fléchettes de guerre devenues moins nombreuses et les sangsues; de temps à autre, le grand cri des singes se répercutait en cascade jusqu'au fond de la vallée, coupé par le choc assourdi des roues des charrettes contre les souches.

Ils commençaient à voir le village stieng, au bout de la sente, comme dans un rond trouble de jumelles. Il avait envahi sa clairière. Claude regardait ses remparts de bois comme une arme inconnue : ces poutres dressées en barrière, et qui cachaient la forêt (ils étaient maintenant tout près) témoignaient avec violence d'une force que suggéraient jusqu'à l'angoisse les seuls objets surgis au-dessus du rempart : un tombeau orné de fétiches en plumes, et un énorme crâne de gaur [1]. La lumière de la grande chaleur

1. Auroch de l'Asie méridionale.

luisait en moire sur les cornes, comme si
la forêt disparue derrière la haute barricade
n'eût laissé à sa place que ces objets insolites
encastrés dans le ciel libéré des feuilles. Le
guide déplaça encore quelques lianes de
rotin et les retendit derrière les charrettes.

Le portail était entr'ouvert ; ils entrèrent.
Le Moï qui le gardait le referma derrière
eux de la crosse de son fusil : « Voilà qui vient
de Grabot, enfin ! » dit Claude. « Le levier
du fusil n'est pas abaissé » pensa Perken ;
mais le son de bois du portail refermé le
poussa en avant.

A droite des huttes trapues disposées presque au hasard, enfoncées à demi dans le sol
comme les bêtes de la forêt ; des petits chiens
abandonnés sur un monceau de détritus
jappaient ; hommes et femmes regardaient,
les yeux au bord des claies, à l'affût.

Le guide les dirigeait vers une case plus
haute que les autres, dressée au centre d'un
espace vide auprès de la perche qui supportait le gaur ; elle pesait sur cette solitude
pleine d'hommes, autant que les vastes
cornes pointées vers le ciel comme des
bras dressés. Maison commune ou maison
de chef : Grabot, peut-être, sous ce toit de
palmes, sous ces cornes... Il les avait protégés
jusqu'ici, puisqu'ils étaient vivants. A la

suite du guide, ils grimpèrent à l'échelle, entrèrent et s'accroupirent.

Ils ne distinguaient rien encore, mais ils sentaient qu'aucun blanc n'était là. Perken se releva, s'accroupit un peu plus loin, se tournant d'un quart, comme par déférence. Claude l'imita : devant eux maintenant — derrière eux tout à l'heure — au fond de la case, une dizaine de guerriers se tenaient debout, armés de la courte arme des Stiengs, mi-sabre, mi coupe-coupe. L'un d'eux se grattait, et Perken, avant de le voir, avait entendu le crissement des ongles.

« Libérez votre cran d'arrêt » dit-il très rapidement, à voix basse.

Il ne pouvait être question du Colt que Claude portait à sa ceinture ; il entendit un déclic très léger, et vit Perken tirer de sa poche quelques-unes de ses verroteries. Il leva aussitôt, au fond de sa poche, le cran de son petit browning — lentement, pour qu'on l'entendît le moins possible — et sortit des perles bleues. Déjà Perken avait étendu la main, et les transmettait, jointes aux siennes, avec des phrases en siamois que traduisait le guide.

« Regardez, Claude, au-dessus du vieux qui doit être le chef ».

Une tache claire dans l'ombre : une veste

blanche d'Européen. « Grabot doit être par
là ». Le vieux chef souriait, les lèvres disten-
dues sur les gencives ; il leva deux doigts.
« On va apporter la jarre [1] » dit Perken.

Le soleil pénétrait en triangle dans la
hutte ; il coupait le vieillard de l'épaule à la
hanche, sa tête d'eunuque laissée dans l'obscurité, la saillie des clavicules et des côtes
très accusée. Son regard allait des blancs à
l'ombre du crâne projetée devant lui, les
cornes emmêlées par la perspective, mais
d'une netteté de coupures. Elle se mit à
trembler comme si un soudain bruit de choc,
qui arrivait, l'eût secouée : une jarre apparut
au-dessus de l'échelle, un roseau dans son
col, deux mains aux doigts allongés — res-
pectueux — sur les côtés, comme des anses.
Posée sur ces deux poignets verticaux elle
semblait offerte à l'ombre encore frémissante,
comme pour l'apaiser. Encore de légers chocs :
le porteur, qui sans doute avait heurté la
perche au passage, cherchait les échelons.
Il sortit enfin de terre, couvert des haillons
bleus des Cambodgiens (le chef Moï même
n'était vêtu que du pagne), lent et droit,

---

1. Pour le serment de loyalisme : boire à la même
jarre. Les jarres sont, par ailleurs, les objets les plus
précieux des villages stiengs.

et abaissa la jarre devant lui jusqu'au sol, avec une mystérieuse prudence. Xa venait de crisper ses doigts sur le genou de Claude.

« Qu'est-ce qui te prend ? »

Le boy posait une question en cambodgien : le porteur de jarre se tourna vers lui, et aussitôt, avec violence, du côté du chef.

Les ongles serraient la chair.

« — Lui... lui... »

Claude comprit soudain que l'homme était aveugle ; mais il y avait autre chose.

« Kmer-Mieng ! » cria Xa à Perken.

— Esclave cambodgien. »

L'homme replongeait vers le village, coupé par le plancher de la casse ; Claude attendit un nouveau choc, comme s'il eût dû, en s'en allant, heurter à nouveau la perche. Mais l'attente de tous ces hommes inquiets, le silence même semblaient suspendus à la main du chef levée solennellement sur la jarre. Il l'abaissa et aspira l'alcool par le chalumeau de roseau, les yeux fermés. Il passa le chalumeau à Perken, puis à Claude, qui le prit sans dégoût : l'inquiétude était trop forte. Le regard mobile de Perken qui tentait de voir ce qui se passait au dehors, l'accentuait :

« L'absence de Grabot m'embête terriblement. Nous nous engageons, et il ne s'engage pas, à l'égard des Moïs. J'ai confiance en lui, mais quand même...

— Mais eux... s'engagent... ou non ?

— Aucun n'oserait trahir l'alcool de riz. Mais si lui ne s'est pas engagé à leurs yeux, Dieu sait !.. »

Il parla siamois, le guide traduisit ; le chef répondit une seule phrase.

Cette réponse avait intéressé singulièrement les hommes du fond, toujours immobiles, sauf lorsqu'ils se grattaient : Claude les distinguait enfin, l'œil attiré par les traces blanches des maladies de peau sur leur corps. Tous, maintenant, regardaient attentivement.

« Il dit qu'il n'y a pas de chef blanc » traduisit Perken.

Son regard rencontra de nouveau la veste.

« Je suis sûr qu'il est là !... »

Claude se souvenait du fusil et regardait, lui aussi, la veste. Ses ombres semblaient doubles : d'un côté l'ombre véritable, de l'autre la poussière.

« La veste n'a pas été mise depuis longtemps » dit-il à mi-voix, comme s'il eût craint d'être compris.

Peut-être la poussière s'amoncelait-elle très rapidement ? Pourtant, le plancher était propre ; les chandeliers-fétiches aussi. Il était

peu probable que Grabot se vêtit ici comme
à Bangkok ; mais la phrase que Perken avait
dite dans la clairière retomba sur Claude,
comme si elle eût été depuis quelques minutes suspendue dans cette case : « A moins
qu'il n'ait été pris par la sauvagerie... » Pourquoi se cachait-il, substituant à sa présence
l'attention de ces hommes, lourde comme
celle des animaux ?

Perken, de nouveau, parlait au chef. La
conversation fut très courte.

« Il dit qu'il est d'accord, ce qui ne signifie
absolument rien. Réellement, je me méfie...
Par prudence, j'ai dit que nous repasserions
par ici, et lui apporterions des gongs et des
jarres, en plus des thermos d'alcool que je
vais lui donner : il aurait de meilleures raisons de nous assassiner à notre retour... Il
ne me croit pas... Il y a quelque chose qui
cloche. Il faut absolument mettre la main sur
Grabot ! En face, il n'oserait pas... »

Il se levait : les pourparlers étaient termi-
nés. Il atteignit l'échelle, contournant l'ombre
du crâne comme s'il en eût craint le contact. Le guide les conduisit à une case vide.
Le village revenait peu à peu à la vie : des
claies étaient abaissées ; des hommes aux
pagnes ou aux haillons bleus — les esclaves
— s'affairaient autour de la case qu'ils venaient

de quitter, avec une agitation retenue
d'aveugles. Perken avançait, mais son regard
restait fixé sur eux. L'un commençait à
traverser l'espace vide où eux-mêmes s'étaient
engagés ; leurs routes pouvaient se croiser.
Perken s'arrêta, prit son pied dans sa main
comme si quelque épine l'eût blessé ; il le
regardait de près ; pour assurer son équilibre, il s'appuya sur Xa.

« Quand nous allons rencontrer celui-là,
demande-lui quelle est la case du blanc.
Quelle est la case du blanc. Pas d'autre mot.
Compris ? »

Le boy ne répondait pas ; l'esclave les
avait presque rejoints : pas le temps d'expliquer une seconde fois. Il était à portée
des voix... Manqué ? Non : presque poitrine
contre poitrine, le boy parlait. Le visage de
l'autre était tourné vers le sol : il répondait
à voix basse lui aussi. « Croit-il répondre à
un autre esclave ? » Perken voulut se rapprocher de Xa, le faire traduire en hâte,
le toucher, et faillit tomber de son long : il
avait oublié qu'il tenait encore son pied. Le
boy avait vu le mouvement maladroit, et
bien qu'il se fût un peu éloigné, tendit les
bras. Perken, lui agrippa le poignet. « Alors ? ».
Xa le regardait avec le regard inquiet et
résigné des indigènes habitués aux folies

des blancs, stupéfait de son âpreté, de sa
voix assourdie comme si quelqu'un eût pu
les entendre et les comprendre, sur cette
place de terre battue que tachaient seulement l'esclave qui avait repris sa marche
et un chien qui filait vers l'ombre.

— Près des bananiers. »

Pas d'équivoque : il n'y avait dans la clairière qu'une seule touffe de bananiers, à demi
sauvages ; près d'eux, une grande case. Claude
revenait sur ses pas, intrigué, devinant vaguement ce qui se passait.

— L'esclave dit qu'il est dans cette case.
— Grabot ? Quelle case ? »

Par prudence, Perken l'indiquait du doigt,
la main contre la hanche.

« Nous y allons ?

— Un instant : dételons nos bœufs. Ensuite
nous aurons l'air de tomber là-bas par
hasard... enfin, selon le plus de hasard
possible... »

Ils rejoignirent le guide. Devant la case
qui leur était assignée, Xa commença à
dételer.

« Ça suffit, Perken. Maintenant, filons !

— Si vous voulez. »

Malgré leurs détours, la case aux bananiers les attirait avec violence. Qu'ils per-
dissent leur temps en discussions ou non, ils

étaient à la merci de Grabot. S'ils devaient
s'entendre, le plus tôt serait le mieux.

« Si ça tourne mal ? demanda Claude.

— Je le descends. C'est notre seule chance.
En forêt dans sa région, nous sommes fou-
tus... »

Grabot connaissait à coup sûr les revolvers
dont on se sert à travers le pantalon... Ils
étaient arrivés. Une case sans fenêtre, fermée par une porte rudimentaire, non par
une claie. Un loquet poussé *de l'extérieur*.
« Il y a sans doute une autre ouverture ? »
Un chien commença à hurler derrière la case.
« S'il continue à gueuler ainsi, pensa Perken,
ils vont tous arriver. » Il poussa le loquet
et tira la porte à lui en hésitant, de crainte
qu'elle ne fût fermée aussi de l'intérieur ;
elle vint, aussi lente qu'il était inquiet, à
cause du jeu du bois pendant les grandes
pluies.

Une clochette tintait. Tombant du toit,
une barre de soleil oblique, aux atomes serrés, d'un bleu foncé ; des masses d'ombre
tournaient autour comme autour d'un essieu,
montant et descendant. La plus haute se
précisa : une traverse horizontale qui de
profil devint nette. Quelque chose, au bout,
la tirait. Elle pivotait autour d'un grand
baquet, d'une cuve... Elle tournait vers eux,

perdant sa forme à mesure qu'elle s'éloignait de la projection éblouissante de l'ouverture plaquée sur la poussière du sol autour
de leurs silhouettes enchevêtrées, aux longs
troncs et aux courtes jambes. Et toute la
machine apparut enfin dans le rectangle
de soleil qui tombait de la porte : une meule.
Le tintement s'arrêta.

Perken avait reculé pour mieux voir en
gagnant l'ombre, et Claude le suivait de
côté, en crabe, incapable à la fois de rester
où il était et de détourner son regard, pour
marcher, de la lumière qui pénétrait dans la
case comme un bloc de pierre. Mais Perken
reculait toujours. Recul terrifié : Claude devinait la crispation de ses doigts qui cher-
chaient à s'accrocher, la stupeur d'un homme
qui chavirait : il ne disait rien, ne bougeait
plus. Attaché à la meule, il y avait un esclave.
De la barbe sur le visage. Un blanc ?

Couvrant le hurlement du chien, Perken
cria une phrase, si vite que Claude ne la
comprit pas ; il recommença aussitôt, haletant :

— Qu'est-ce qu'il est arrivé !

L'esclave se rejeta en avant, dans l'obscurité, avec un frémissement aux épaules.
La clochette sonna encore, un seul coup,
comme un timbre ; mais l'homme s'arrêta.

« Grabot ? » gueula Perken.

L'épouvante et l'interrogation de la voix s'écrasaient sur le visage tourné vers eux. Claude cherchait les yeux, mais ne distinguait que la barbe et le nez. L'homme tendit la main ouverte, les doigts écartés, cherchant à prendre quelque chose ; il la laissa retomber contre sa cuisse avec un bruit de chair. Il était attaché par des courroies de cuir. « Aveugle ? » se demandait Claude incapable de prononcer le mot, d'interroger Perken.

Ce visage de souillures était tourné vers eux, cependant. Vers eux, ou vers la lumière ? Claude ne trouvait pas ce regard qu'il cherchait, mais Perken avait dit que Grabot était borgne, et l'homme se tenait de trois-quarts, non de face, — vers la porte.

— Grabot !..

Espoir de ne pas avoir de réponse, et pourtant...

L'homme dit quelques mots, d'une voix au timbre faux.

— Was ? cria Perken, suffoquant.

— Mais il n'a pas parlé allemand !

— Non, Moï : c'est moi qui... Quoi ? Quoi ? ! »

L'esclave tenta d'avancer vers eux, mais les courroies le fixaient à l'extrémité de la

traverse, et chaque mouvement le poussait
dans l'orbe de la meule, à droite ou à gauche.

« Fais le tour, bon dieu ! »

Aussitôt, les deux blancs sentirent que ce
qu'ils redoutaient le plus était l'approche
de cet être. Ni répulsion, ni crainte : une
terreur sacrée, l'horreur de l'inhumain que
Claude avait connue devant le bûcher. Mais,
comme tout à l'heure, il avança de deux
pas (encore la clochette), s'arrêta de nouveau.

— Il a pourtant compris » murmura Claude.

Il avait compris cette phrase aussi, malgré
le ton très bas.

— Qu'est-ce que vous êtes ? » dit-il enfin
en Français, de sa voix sans accord.

Un désespoir de muet étreignit Claude,
pressé par le multiple sens de la question :
répondre des noms, Français, blancs, ou
quoi ?

— « Bande de vaches ! » bégaya Perken.
L'interrogation qu'il avait mise jusque-là
dans tous ses mots, même dans l'ordre de
faire le tour, était partie de sa voix pleine
de haine. Il s'approcha et dit son nom ;
Claude voyait distinctement les deux paupières tendues, collées sur un os absent.
Toucher cet homme pour que quelque chose,
enfin, le reliât à lui ! Comment extraire

une pensée de ce visage effacé sous ces paupières aux rides verticales, sous cette saleté terrible ? Perken avait crispé ses mains aux épaules de l'autre.

« Quoi ? Quoi ? »

L'homme ne tournait pas son visage vers Perken, si près de lui, mais vers la lumière. Ses joues se contractèrent : il allait encore parler. Claude guettait cette voix, terrifié par ce qu'il attendait d'elle. Enfin :

— « ... Rien... »

L'homme n'était pas fou. Il avait traîné ce mot, comme s'il cherchait encore ; mais ce n'était pas un homme qui ne se souvenait pas, ni qui ne voulait pas répondre : c'était un homme qui disait *sa vérité*. Et pourtant (Claude ne pouvait ne pas se souvenir de : « Suffit d'en finir ») c'était un mort. Il fallait ramener quelque chose dans ce cadavre, comme dans un noyé qu'on masse...

La porte se referma en claquant. Coupées par ce rayon de cachot, les ténèbres retombèrent sur eux. Claude n'était que question : les Moïs — les mêmes Moïs — étaient là, autour de lui. Il prit conscience de cette obscurité de prison, se jeta sur la porte qu'il ouvrit d'un coup, se retourna : comme à leur arrivée, l'homme frappé par le jour avait fait un pas en avant avec sa clochette, avec sa

secousse de bête terrorisée : son réflexe était
lié à la lumière et la voix mêlées. Perken prit
le bâton, tombé dans le rectangle de soleil
après le geste de Claude : c'était un caveçon,
une branche terminée par une pointe de
bambou semblable aux lancettes de guerre.
Son regard chercha aussitôt les épaules de
l'homme ; mais il était tourné vers eux. Il
sortit son couteau, coupa les sangles : la lame
pénétrait mal dans les nœuds grossiers, bos-
selés mais habiles, et il coupait le plus loin
possible des bras. Il fut obligé de se rapprocher, de couper le trait. L'autre, libéré, ne
bougeait pas.

— Tu peux avancer !

Il partit en avant, le long du mur, suivant
son ancien chemin, tirant des reins ; il faillit
tomber. Perken, sans savoir pourquoi, le
fit tourner d'un quart, le poussa vers la
porte. Il s'arrêta encore : il découvrait la
liberté dans ses épaules. Il étendit aussitôt
la main en avant : son premier geste clair
d'aveugle. Perken reposa sa main, trop libre
depuis qu'il avait fini de couper, sur la traverse ; elle rencontra l'intolérable clochette.
Il trancha son attache et la jeta à travers la
porte, à la volée. A son tintement sur le sol,
l'homme ouvrit la bouche, de stupéfaction
sans doute : mais le regard de Perken avait

suivi le son : à quelques mètres dehors, des Moïs tentaient de voir l'intérieur de la case. Nombreux : au-dessus des corps penchés, plusieurs rangs de têtes.

— D'abord, sortir d'ici ! dit Claude.

— Faites les premiers pas les yeux fermés ! Sinon, vous allez hésiter à cause du passage à la grande lumière et ils sont fichus de vous tomber dessus. »

Fermer les yeux, en cet instant ? il eut l'impression qu'il ne les eût plus jamais rouverts. Il se jeta en avant en regardant le sol, toute sa force tendue pour ne pas s'arrêter. La ligne des Moïs recula : un seul était resté. « Le maître de l'esclave » pensa Perken. Il alla vers lui :

— « Phya » dit-il. Le Moï balança ses épaules, puis s'écarta.

— Qu'avez-vous dit ?

— Phya, chef, c'est le mot qu'employait toujours l'interprète. Peut-être reculer pour mieux sauter... Et l'autre, bon sang ! »

L'aveugle était au seuil de la case, plus terrible dans la lumière du jour : il ne les avait pas suivis. Perken revint et le prit sous le bras.

« A notre case. »

Les Moïs les suivaient.

III

Dans la case du chef, personne ; au mur, dans l'ombre, la veste blanche. Les Moïs les entouraient en demi-cercle, à quelque distance ; Perken reconnut le guide.

— Où est le chef ?

Le Moï hésitait à répondre, comme si les hostilités eussent été déjà ouvertes. Il se décida pourtant.

— Parti. Reviendra ce soir.

— C'est faux ? demanda Claude à Perken.

— Filons à notre case, d'abord ! »

Chacun prit Grabot sous un bras.

« Non, je ne crois pas que ce soit faux : mes questions relatives au chef blanc l'ont inquiété... En un tel moment, il ne peut être parti que par prudence, pour appeler à l'aide, éventuellement, les villages voisins...

— En somme, c'est un guet-apens ?

— Les choses se compliquent d'elles-mêmes... »

Ils se parlaient à travers le profil mort de Grabot.

— Le plus sage ne serait-il pas de partir avant son retour ?

— La forêt est pire qu'eux... »

Partir aussitôt : abandonner les vivres et les pierres... Sans guide, la mort était certaine.

Ils avaient atteint leur case.

Xa les regardait avec épouvante, mais presque sans étonnement.

« Attelons-nous ? » demanda Claude.

Perken regarda la hauteur du rempart de bois, et haussa les épaules.

— Ils se réunissent...

Les Moïs ne les suivaient plus. Déjà d'autres les rejoignaient, armés. Et une fois de plus, comme si rien n'eût pu vaincre les formes de la forêt refoulée, Claude entra dans le monde des insectes : des cases plantées au hasard, silencieuses et apparemment abandonnées tout à l'heure, les Moïs sortaient sans qu'il vît par où, se coulaient dans le sentier avec leurs gestes précis de guêpes, avec leurs armes de mantes. Arbalètes et lances se détachaient sur le ciel, parfois, avec une précision d'antennes ; les hommes

continuaient à arriver sans cris, sans autre
bruit que le grattement des pas dans les
buissons. Le beuglement d'un porc noir
emplit la clairière, retomba ; le silence se
fondit une fois de plus dans le soleil, et
l'écoulement des hommes, là-bas, domina
de nouveau la place.

Les blancs et Xa étaient entrés dans leur
case, emportant armes et cartouches. Ils
voyaient encore les charrettes, qu'une pierre
dépassait. Quelle défense attendre de cette
case sur pilotis fermée sur trois côtés, ouverte
devant eux ? Par terre, une claie : ils la dres-
sèrent aussitôt ; haute d'un mètre, elle ne
les protégeait qu'à mi-corps. Aux premières
flèches, il faudrait se coucher. Ils étaient
là comme à l'intérieur d'une baraque foraine ;
dans le grand rectangle libre, au-delà de la
place abandonnée, les départs, les arrivées
des Moïs passaient sur les morceaux de remparts, entre les cases et les arbres cultivés.
Devant, déserte, toute la place se débattait
contre le silence ennemi.

« Écoute, Grabot, toi qui les connais : nous
sommes dans la case qui est à droite de celle
du chef. Ils ont l'air de commencer à se re-
muer. Que vont-ils faire ? »

« Réponds, quoi ! Tu as bien compris ? »
Silence. Un moustique bourdonna dans

l'oreille de Perken, qui se gifla, exaspéré.
Enfin, cette voix :

— Qu'est-ce que ça peut foutre ?...

— Tu veux rester ici ? »

Il fit « non » de la tête, absurdement. Sans
regard qui soutînt la négation, le mouvement
du cou était animal comme un mouvement
de taureau, comme l'expression de sa voix
si peu humaine.

— Qu'est-ce que ça peut foutre, maintenant ?

— Maintenant que tu es... que...

— Maintenant que tout, quoi !...

— Ça peut s'arranger...

— Et leurs vaches de chiens à qui ils
ont fait bouffer mon œil, on les arrangera ?

Des lignes pointues parurent, dépassant
l'ouverture : de nouvelles lances, au fond de
la place.

« On est avec qui dans la case ? Y a toi,
l'autre qu'est sûrement un petit jeune ; et
l'autre ?

— Le boy.

— C'est tout ? Et eux, ils sont autour ?

— Je ne vois que la place.

De deux coups de couteau, il fit de minces
trous dans la paroi :

« Il n'y en a pas des autres côtés.

— Ça viendra... A la nuit, ils n'ont qu'à

allumer là-dessous... C'est presque comme
ça que ça m'est arrivé... Pour ce que ça peut
foutre !... »

Silence. La hachure des lances avait disparu : là-bas, les guerriers s'étaient accroupis...

« Comment en tirer quelque chose ? »
se demandait Claude.

— Vous tenez à crever ici ? »

Il secouait ses poings, ces poings que
Grabot ne voyait pas — prisonnier cette fois
de son univers de formes comme l'autre de
sa tête murée. Comment convaincre un aveugle ? Il ferma ses propres yeux, serrant ses
paupières, cherchant d'autres mots ; mais
Grabot répondait :

— Si vous en descendez un, passez-le
moi... Attaché...

Claude épiait une lance qui venait de repa-
raître, mais le dernier mot fut si saisissant
qu'il l'abandonna : féroce, venu d'un tel
abîme d'humiliation — non pas bestial,
atroce avec simplicité. Cette âme que dans
la case rien n'avait pu appeler ne revenait-
elle que pour être la conscience de la plus
atroce déchéance ? Et ces rêves de supplices,
les doigts réunis de cette main, crispés en
pointe, tous les ongles ensemble, sur quel
œil à écraser ? Elle tremblait au bout du

bras : rien sur le visage, mais les doigts des pieds se recroquevillaient. Ce corps savait parler — dès que s'était ouverte la case de la meule, cette main tendue pour manger, ce dos habitué au caveçon — et seulement de ce qu'il avait souffert ; son langage de chair était si puissant que Claude oublia, une seconde, que c'était eux que les supplices attendaient, de l'autre côté. Ils ne pouvaient rien contre le feu. Rien. Le cri d'un paon s'éleva, perdu dans le calme intense du ciel : les Moïs accroupis eussent semblé somnolents sans leurs regards de chasseurs ; et sur tous ces regards l'air se tendait à l'extrême, comme un épervier immobile dans le ciel. Tant que le jour durerait...

« Vous croyez qu'ils mettront le feu, Perken ?

— Pas de doute.

L'autre ne parlait plus.

« Ils attendent quelque chose : ou l'arrivée du chef, ou le soir. Ou les deux... Tu peux être sûr qu'ils ont confiance. »

Claude crut d'abord que Perken avait parlé à Grabot, à cause du tutoiement.

— Alors, est-ce qu'il ne vaudrait pas mieux tirer dessus, et tâcher de gagner la porte ? Nous avons pas mal de cartouches... Une chance sur cent, je sais bien... Peut-être auront-ils assez la frousse pour...

— Au deuxième type descendu, tous les autres seront embusqués, d'abord ; ensuite, plus de pourparlers possibles. On ne sait jamais... ils pensent que nous avons rompu le serment du riz en cherchant Grabot, mais ils ne doivent pas en être très sûrs ; il faut voir... Enfin, ils sont encore plus forts en forêt qu'ici.

— Crever pour crever, autant en descendre quelques-uns. En voilà deux qui s'amènent par ce trou-ci et quatre... cinq, oh ! six, huit, c'est tout ? de l'autre côté. Ça s'annonce bien. Et si on essayait de filer par là ? Après tout, la barricade.

— La forêt ! »

Claude se tut à nouveau. Perken écoutait : un son de chaudron roulé arrivait jusqu'à eux :

« Ils ne tenteront pas l'incendie avant la nuit, reprit-il. Notre seule chance, c'est de filer à la tombée du jour. Combattre en profiant de la nuit, avant que...

— J'aurais tout de même un sacré plaisir à en descendre quelques-uns ! Celui qui se ballade là-bas tout seul, mon revolver en dresse les oreilles... Tu es sûr qu'il ne faut pas s'occuper de lui ?

Il montra la place des balles dans le chargeur.

« Il en restera toujours deux...

— Ouai ?... »

C'était Grabot. Une voix, une voix seule, pouvait donc à ce point exprimer la haine. Cet homme qui était là avec eux. Et il n'y avait pas que la haine, il y avait aussi la certitude. Claude, atterré, le regardait : cette peau décolorée d'homme de cave, mais ces épaules de lutteur... Une puissante ruine. Et il avait été plus que courageux. Celui-là aussi pourrissait sous l'Asie, comme les temples... L'homme qui avait osé détruire l'un de ses yeux, tenter de pénétrer seul, sans garanties, en une telle région. « Ça n'ira toujours pas plus loin que mon revolver... » L'épouvante rôdait auprès de lui, en cette seconde, autant qu'auprès des Moïs.

— Bon dieu, il n'est pourtant pas impossible de...

— Con ! »

Bien plus que l'injure et même que la voix, la tête ravagée de Grabot disait : on ne peut pas quand c'est inutile, et quand c'est nécessaire il arrive qu'on ne puisse plus. «... Suffit de vouloir... » Il s'agissait d'une chose où lui, Claude, avait très peu de place... La main en dehors, le canon tourné vers sa tête, il éleva son revolver, bien qu'il sentît son absurdité, qu'il sût que s'il avait

tiré, il aurait tourné l'arme, au dernier
moment, contre Grabot, pour supprimer ce
visage, cette haine, cette présence — pour
chasser cette preuve de sa condition d'homme,
comme l'assassin qui coupe son doigt révé-
lateur. Il sentit soudain le poids du revolver
et laissa retomber sa main : l'absurdité se
retirait de lui avec une puissance de flot ;
sur ses débris, les ombres sinistres du bout
de la place, les lances et les cornes sauvages plaquées sur le ciel semblèrent pour
la première fois sans force. Un instant. Il
suffit qu'un Moï se levât : il faillit tomber,
s'accrocha à son voisin qui cria : le son
étouffé par la distance traversa lentement la
clairière, et la libéra de son aspect d'embus-
cade pétrifiée. De l'autre côté, les Moïs
devenaient plus nombreux ; mais accroupis
ou en mouvement, armés d'arbalètes ou de
lances, ils s'arrêtaient toujours à la lisière
de la place, serrés, grouillants près de cette
ligne mystérieuse, tels des chiens ou des
loups, comme si quelque pouvoir occulte
leur interdît de la franchir. Le temps seul
vivait, écrasant, sur cette place vide : les
minutes étaient prisonnières de ce cercle
de brutes qui prenait un caractère d'éternité
comme si rien ne dût plus arriver par le
monde qui pût franchir leurs têtes, comme si

vivre, subir les heures — et celle qu'annonçait la décoloration du ciel, cette tombée du
soir qui précéderait de peu l'incendie — n'eût
été pour les blancs que subir de plus en plus
irrécusablement l'oppression de cette barrière de vies dressée devant celle des pieux
géants, que comprendre davantage quelle
préparation à l'esclavage était cet emprisonnement. Traqués : comme les têtes des fauves à l'affût, celles-ci ne vivaient que par les
regards, qui convergeaient sur la case comme
sur le centre d'un piège. Claude ne fixait
pas une tête dans le rond des jumelles qu'il
n'en rencontrât aussitôt les yeux ; la lorgnette
abaissée, ces regards de brutes avides se
perdaient dans l'éloignement ; mais il restait en face de ces paupières plissées, de ces
cous tendus de chiens.

De nouveaux guerriers venaient de paraî-
tre, appuyés sur leurs arbalètes, comme si
leurs compagnons se fussent dédoublés :
ils avançaient en fourmis, toujours le long
de la ligne mystérieuse, vers la gauche. La
paroi de la case les masquait : Perken la
troua : presque sous ses yeux, un tombeau
surmonté de deux grands fétiches à dents :
homme et femme, tenant à pleines mains
leur sexe peint en rouge ; au-delà, une case.
Les Moïs, sans nul doute, avançaient der-

rière cette case qu'ils allaient occuper : mais
des claies ayant été posées sur ses ouvertures,
elle demeurait sans mouvement. La ligne
des Moïs disparaissait derrière elle comme
dans une trappe : et ce remous qui peu à peu
allait s'approcher se dirigeait, dès qu'ils
cessaient de le voir, vers cette façade bour-
donnante et murée comme un nid de guêpes,
au-delà de ces deux sexes de bois où s'en-
castraient des doigts recroquevillés. Cette
façade aussi vivait, sournoise, immobile, chargée de tout ce qu'elle cachait, de ces sous-
hommes qui disparaissaient derrière elle,
tout à coup transformés en néant menaçant...

« A quoi ça peut-il bien les avancer ? »
chuchota Claude. A se rapprocher ?

— Ils ne seraient pas si nombreux... »
Perken reprit les jumelles ; presque aussitôt
il fit de la main un geste dans l'air, comme
pour appeler Claude, mais ramena sa main
afin que la jumelle ne bougeât pas. Puis il la
lui passa :

« Regardez les coins.

— Alors ?

— Plus bas, près du plancher.

— Qu'est-ce qui vous inquiète ? Les machines qui passent ou les espèces de trous ?

— C'est la même chose : les machines

sont des arbalètes, les trous sont là pour en
passer d'autres.

— Et alors ?

— Il y en a plus de vingt.

— Quand nous tirerons, ce ne sont pas
les claies qui protègeront les bonshommes !

— Ils sont couchés : nous perdrons beaucoup de balles. Et d'ailleurs, il fera nuit.
Eux nous verront parce que cette case-ci
brûlera, mais nous ne verrons presque rien.

— Alors pourquoi tant d'histoires ? Ils
n'avaient qu'à rester où ils étaient ?

— Ils veulent nous avoir vivants ».

Claude, fasciné, regardait l'énorme piège,
sa masse, ces bois courbes d'arbalètes qui
sortaient à sa base comme des mandibules.
A peine entendit-il la voix de Xa, qui parlait
à Perken : celui-ci reprit les jumelles. A son
tour, Claude chercha dans la même direction, au fond de la clairière. Nombre de
Moïs s'étaient courbés vers le sol, comme pour
repiquer des plantes ; les autres marchaient
avec grand soin, pliant les genoux, levant
très haut les pieds, comme des chats. Il se
retourna vers Perken, interrogatif.

— Ils plantent les lancettes de guerre.

Donc, ils attendaient bien la nuit, et pre-
naient leurs précautions. Et combien de
travaux semblables se préparaient ou se

pousuivaient, derrière la case, derrière la
ligne fourmillante de ces corps penchés ?

Empêcher les Moïs d'incendier leur case,
il n'y fallait pas songer : le feu allumé, ils
ne pourraient que se lancer en avant — contre
les arbalètes — ou à droite, vers les lancettes
de guerre. Au-delà, les pieux de l'enceinte,
et au-delà, la forêt... Rien à faire, sinon en
tuer le plus possible. Ah ! ces sangsues qui
se tordaient si bien, en grésillant, sur les
allumettes !

Il n'y avait rien à faire que ce qu'avait
conseillé Perken : tenter de fuir à la tombée du
jour, quelques instants avant l'incendie. Res-
terait la forêt... Mais cette fuite même,
quelles étaient ses chances contre les lancettes de guerre ?

Claude regardait les charrettes.

Les charrettes, — les pierres.

Recommencer...

Sortir d'ici d'abord, ou être tué. N'être
pas pris vivant...

« Que plantent-ils encore ? »

Ils s'agitaient de nouveau au fond de la
clairière, lances croisées.

— Ils ne plantent rien : c'est le chef qui
revient. »

Perken passa les jumelles à Claude, une
fois de plus. L'agitation, rapprochée ainsi,

restait ordonnée : rien ne distrayait les Moïs
de leur but. L'extrême tension de l'atmosphère, l'hostilité de ce qui baignait dans l'air,
comme si tous ces gestes tendus vers eux se
fussent ramassés en une seule âme, tout con-
vergeait des êtres à l'affût vers ces hommes
acculés ; et quelque chose, dans la case
même, s'accorda tout à coup à cette âme
acharnée : Perken. Il était fixé comme par
un instantané, le regard perdu, la bouche
ouverte, tous les traits affaissés. Plus rien
d'humain dans la case : effondré dans son
coin, Xa attendait, plié en bête ; Grabot —
qu'il continuât à se taire ! — autour, ces
gueules de fauves, cet instinct de sadiques,
précis et bestial comme ce crâne de gaur à
dents de mort ; et Perken pétrifié. L'épouvante
de l'être écrasé de solitude saisit Claude au
creux de l'estomac, au défaut des hanches,
l'épouvante de l'homme abandonné parmi
des fous qui vont bouger. Il n'osa pas parler,
mais toucha Perken à l'épaule ; celui-ci l'écarta
sans le regarder, avança de deux pas et s'arrêta
en plein encadrement de l'ouverture — à
portée de flèche.

— Attention !

Perken n'entendait plus. Ainsi, cette vie
déjà longue allait se terminer ici dans une
flaque de sang chaud, ou dans cette lèpre du

courage qui avait décomposé Grabot, comme
si rien, dans aucun domaine, n'eût pu échapper à la forêt. Il le regarda : le cou sur la
poitrine, le visage caché par les cheveux,
l'aveugle marchait lentement en rond —
comme autour de la meule — une épaule
en avant, retourné à son esclavage. Perken était
harcelé par son propre visage, tel qu'il serait
peut-être demain, les paupières à jamais
abaissées sur les yeux... Pourtant on pouvait
combattre. Tuer, enfin ! Cette forêt n'était
pas qu'un foisonnement implacable, mais des
arbres, des buissons derrière lesquels on
pouvait tirer — mourir de faim. La folie
lancinante de la faim, qu'il connaissait, n'était
rien auprès des meules endormies avec leurs
harnais d'esclaves dans le village ; dans la
forêt, on pouvait se tuer en paix.

Toute pensée précise était anéantie par
ces têtes aux aguets : l'irréductible humiliation de l'homme traqué par sa destinée
éclatait. La lutte contre la déchéance se
déchaînait en lui ainsi qu'une fureur sexuelle,
exaspérée par ce Grabot qui continuait à
tourner dans la case comme autour du
cadavre de son courage. Une idée idiote le
secouait : les peines de l'enfer choisies pour
l'orgueil — les membres rompus et retour-
nés, la tête retombée sur le dos comme un

sac, le pieu du corps à jamais planté en terre,
— et le désir forcené que tout cela existât
pour qu'un homme, enfin, pût cracher à la
face de la torture, en toute conscience et en
toute volonté, même en hurlant. Il éprouvait
si furieusement l'exaltation de jouer plus que
sa mort, elle devenait à tel point sa revanche
contre l'univers, sa libération de l'état humain, qu'il se sentit lutter contre une folie
fascinante, une sorte d'illumination. « Aucun
homme ne tient contre la torture » traversa
son esprit, mais sans force, comme une
phrase, lié à un cliquètement inexplicable :
ses dents qui claquaient. Il sauta sur la claie,
hésita encore une seconde, tomba, se re-
dressa, un bras en l'air, tenant son revolver
par le canon, comme une rançon.

« Fou ? » Claude, la respiration coupée,
le suivait du canon de son arme : Perken marchait vers les Moïs, pas à pas, tout le corps
raidi. Le soleil abaissé lançait sur la clairière
de longues ombres diagonales, avec un dernier reflet sur la crosse du revolver. Perken
ne voyait plus rien. Son pied rencontra un
buisson bas ; il fit un geste de la main, comme
s'il eût pu l'écarter (il ne suivait pas le sentier),
continua d'avancer, tomba sur un genou,
se releva, toujours aussi raide, sans avoir
lâché le revolver. La piqûre des plantes fut

si aiguë qu'il vit, une seconde, ce qui était
devant lui : le chef inclinait la main vers la
terre, opiniâtrement. Poser le revolver. Il
était là-haut dans sa main. Enfin il parvint
à plier le bras, prit l'arme de l'autre main,
comme pour la détacher. Ce n'était plus de
l'hésitation : il ne pouvait plus bouger. Enfin
elle s'abaissa d'un coup et s'ouvrit, tous les
doigts tendus : le revolver tomba.

Quelques pas encore. Jamais il n'avait
marché ainsi, sans plier les genoux. La force
qui le soulevait connaissait mal ses os : sans
la volonté qui le jetait vers la torture avec
cette puissance d'animal fasciné, il eût cru
dériver. Chaque pas des jambes raidies retentissait dans ses reins et son cou; chaque herbe
arrachée par ses pieds qu'il ne voyait pas
l'accrochait au sol, renforçait la résistance
de son corps qui retombait d'une jambe sur
l'autre avec une vibration que coupait le
pas suivant. A mesure qu'il s'approchait les
Moïs inclinaient vers lui leurs lances qui
luisaient vaguement dans la lumière mou-
rante; il pensa soudain que sans doute ils
n'aveuglaient pas seulement leurs esclaves,
mais les châtraient.

Une fois de plus il se trouva planté dans
le sol, vaincu par la chair, par les viscères, par
tout ce qui peut se révolter contre l'homme.

Ce n'était pas la peur, car il savait qu'il continuerait sa marche de taureau. Le destin pouvait donc faire plus que détruire son courage : Grabot était sans doute un double cadavre. La barbe, pourtant... Il voulut se retourner, absurdement, pour le regarder encore ; il ne vit que le revolver.

L'arme était tout près du sentier, presque au centre d'une plaque d'argile dénudée, comme si elle eût brûlé l'herbe autour d'elle. Capable de tuer sept de ces hommes. Capable de toutes les défenses. Vivante. Il revint vers elle ; les bois courbes des arbalètes brillèrent un instant dans l'air rouge de la clairière.

Donc, il y avait sans doute un monde d'atrocités au-delà de ces yeux arrachés, de cette castration qu'il venait de découvrir... Et la démence, comme la forêt à l'infini derrière cette orée... Mais il n'était pas encore fou : une exaltation tragique le bouleversait, une allégresse farouche. Il continuait à regarder vers la terre : à ses guêtres arrachées, à ses lacets de cuir tordus collait absurdement l'image ancienne d'un chef barbare prisonnier comme lui, plongé vivant dans la tonne aux vipères, et mourant en hurlant son chant de guerre, les poings brandis comme des nœuds rompus... L'épou-

vante et la résolution s'accrochaient à sa peau.
Il lança son pied sur le revolver qui parcourut
un mètre en clochant, rebondissant de crosse
en canon, comme un crapaud. Il repartit
vers le Moïs.

Claude, haletant, le tenait dans le rond des
jumelles comme au bout d'une ligne de
mire : les Moïs allaient-ils tirer ? Il tenta de
les voir, d'un coup de jumelle ; mais sa vue
ne s'accommoda pas aussitôt à la différence
de distance, et sans attendre il ramena les
jumelles sur Perken qui avait repris exactement sa position de marche, le buste en avant :
un homme sans bras, un dos incliné de tireur
de bateaux sur des jambes raidies. Lorsqu'il
s'était retourné, une seconde, Claude avait
revu son visage, si vite qu'il n'en avait saisi
que la bouche ouverte, mais il devinait la
fixité du regard à la raideur du corps, aux
épaules qui s'éloignaient pas à pas avec une
force de machine. Le rond des jumelles
supprimait tout, sauf cet homme. Le champ
de vision dérivait vers la gauche ; d'un coup
de poignet il le ramena. Une fois de plus,
il perdit Perken : il le cherchait trop loin,
dans une des longues traînées du soleil.
Perken venait de s'arrêter.

Un instant, la ligne des Moïs vers lesquels
il marchait lui était apparue sans épaisseur,

nette à hauteur des têtes mais perdue à sa
base dans le brouillard qui commençait à
monter du sol. Un dernier reflet brillait en
tremblant sur ces choses mobiles, comme lié
à l'angoisse haletante des hommes contre la
paix du soir. Sa main vide maintenant se
fermait, molle, aussi légère qu'une main de
malade, comme s'il eût encore cherché une
arme ; et soudain, son regard rencontrant la
cime des arbres où s'étendait longuement la
dernière rougeur du soleil, tandis qu'au ras
de terre l'immobile agitation continuait, la
passion de cette liberté qui allait l'abandonner l'envahit jusqu'au délire. Au bord de
l'atroce métamorphose qui l'obsédait, il se
raccrochait à lui-même, les mains crispées
s'enfonçant dans la chair des cuisses, les
yeux trop petits pour l'invasion de toutes
les choses visibles, la peau comme un nerf.
Jeté sexuellement sur cette liberté à l'agonie,
soulevé par une volonté forcenée se possé-
dant elle-même devant cette imminente destruction, il s'enfonçait dans la mort même, le
regard fixé sur le rayon horizontal qui là-
haut s'allongeait de plus en plus, délivré de
ces ombres sinistres et vaines dont l'affût se
perdait dans l'obscurité qui montait de la
terre. La lueur rouge du soleil s'allongea d'un
coup, comme une ombre ; le jour décomposé

qui précède de quelques instants la nuit des
Tropiques s'effondra sur la clairière : les
formes des Moïs se brouillèrent, sauf la ligne
des lances, noires sur ce ciel mort, et dont le
reflet rouge était parti. Perken retombait
entre les mains des hommes, face à face avec
ces formes haineuses, avec l'apparition sauvage de ces lances. Et soudain, tout chavirant
à la fois, il entendit sa propre voix qui criait
et se sentit saisi. Non : la sensation due à la
crainte et non à la peau disparaissait, mais
cette douleur de blessures... Enfin il comprit,
car l'odeur de l'herbe l'envahissait : il était
tombé, un pied arrêté par une fléchette de
guerre, sur l'autres fléchettes. D'un poignet
déchiré, le sang coulait. Il se releva, sur les
mains d'abord : il était sûrement blessé au
genou. Les Moïs avaient à peine bougé ; un
peu plus près de lui pourtant... Avaient-ils
voulu se jeter sur lui, les avait-on arrêtés ?
Dans la pénombre, il ne voyait distinctement
que le blanc de leurs yeux, mobile, sans cesse
ramené vers lui. Un troupeau. Si près... Que
l'un sautât, il était à portée de lance. La douleur apparaissait, à la fois aiguë et engourdis-
sante, mais il se sentait délivré de lui-même : il
revenait à la surface. Les Moïs tenaient leurs
lances des deux mains, en travers de leur
poitrine, comme lorsqu'ils s'approchent des

fauves. Et il respirait comme une bête. Dans
sa poche, il avait toujours le petit browning ;
tirer sur le chef, sans l'en sortir ? Et après ?
Impossible de s'appuyer sur sa jambe blessée ;
reposant sur l'autre, il la laissait pendre, mais le
poids du pied la tirait et un élancement aigu
envahissait le genou : il montait à intervalles
réguliers, d'un mouvement mou et lancinant,
lié au battement du sang qui des tempes retentissait dans sa tête. Et un grand mouvement
s'était fait autour de lui, dont la conscience
l'envahissait comme si elle eut été appelée
par la douleur : les Moïs s'étaient rappro-
chés derrière lui, le séparant de Claude. Ne
l'avaient-ils laissé avancer jusqu'ici que pour
cela ?

IV

Il était devant eux. Le chef ne le quittait pas du regard, d'un regard que le frémissement des paupières rendait papillotant, guettant maintenant son prochain mouvement. Sa main droite valide tenait toujours le petit browning, prête à tirer à travers la toile, gênée par un réflexe qui l'obligeait à soutenir la poche, comme s'il eût pu diminuer ainsi le poids de la jambe blessée. Il étendit la main gauche vers le guide, debout à côté du chef. Le sauvage leva vers cette main qui s'avançait son sabre oblique, mais il comprit que le geste était pacifique : le sabre toucha presque la main dont le sang, goutte à goutte, tombait par terre sans le moindre son, puis s'abaissa.

— « Savez-vous que cet homme vaut cent jarres ! » cria Perken.

Le guide ne traduisit pas : l'impuissance tomba sur Perken comme une révélation.

Prendre cette brute par le cou, la secouer, la faire parler !

« Traduis, bon dieu ! »

Le guide le regardait, la tête enfoncée entre les épaules, comme s'il eût eu plus peur de ces paroles que du combat. Perken devina qu'il ne comprenait pas : il avait parlé trop vite, dans un siamois non déformé, et le cri rendait plus difficile la distinction des tons.

Il reprit, s'efforçant à la lenteur :

« Toi dire chef... »

Il séparait les mots, exaspéré par sa respiration précipitée qui battait les syllabes. Les yeux fixés sur ceux de l'interprète, maladroit devant ce regard de sauvage, il tentait de deviner. Le Moï inclinait légèrement l'épaule vers le chef, comme s'il allait parler.

« ... Homme blanc aveugle valoir... »

Comprenait-il ? Sa destinée, à lui, Perken, se jouait sur cette masse vivante. Sa vie aboutissait comme à un passage à ces jambes couvertes d'eczéma, à ce pagne ignoble et sanglant, à cette humanité capable seulement de pièges et de ruse, ainsi que les bêtes de la forêt. Il dépendait totalement de cet être, de ses pensées de larve. Quelque chose en cet instant vivait sourdement dans

cette tête, comme s'ouvrent les œufs de
mouches pondus dans le cerveau. Depuis
une heure, il n'avait pas eu une aussi violente envie de tuer :

— « ... Valoir plus de cent jarres... »

Enfin, il traduisit ! Le vieux chef ne fit
pas un geste. L'immobilité de tous était
telle qu'il semblait que la nuit seule ne
se fût pas arrêtée, qu'on la vît monter
vers le ciel. Comme lors des rites du matin,
toute la vie de ce lieu séparé du monde se
suspendait à l'ombre silencieuse du chef ;
pas un cri d'animal ne venait des profondeurs des feuilles qui paraissaient se prolon-
ger dans ce silence et cette immobilité jusqu'aux limites de la terre. Perken attendait
un geste de la main ; mais non : il se rapprochait de l'interprète, parlait ; l'homme traduisit aussitôt.

Plus de cent ?

— Plus. »

Le chef réfléchissait, remuant les dents
sans arrêt comme un lapin. Il releva la tête :
un cri venait d'arriver du fond de la clairière.

— Perken !

Claude ne le voyait plus et l'appelait.
Dans quelques minutes, la nuit serait tombée ; ils seraient perdus, si leur dernière
chance, l'échange, leur échappait...

— Viens !... »

Perken avait lancé ce mot de toute sa voix ;
le chef le regardait, méfiant, agitant toujours
ses gencives, menaçant dans le silence retombé.

« Je l'appelle » dit Perken à l'interprète.

— Sans arme ! répondit le chef.

— Prends seulement le petit browning »
cria Perken en français.

Le combat continuait...

Un rond lumineux parut dans les ténèbres grises où mourait la voix : Claude avait
allumé sa lampe électrique. On ne le voyait
pas, on n'entendait pas le moindre bruit
de buissons écrasés ; seul, ce rond avançait
en zigzagant, toujours à la même hauteur,
accompagnant le liquide claquement du sang
dans les veines des tempes dont Perken ne
parvenait pas à se délivrer. La lumière suivait le sentier, sans nul doute. Relevée d'un
coup, elle abandonna le sol, passa en fauchant
sur les hommes assemblés, revint au sol chercher la piste : tous ces êtres sortis un instant
des ténèbres — les points blancs des dents
allumés tout à coup, les bustes inclinés vers
Perken — retombèrent à leur rôle d'ombres.

Perken commençait à souffrir : il s'assit
par terre, non sans peine. Les élancements

devinrent moins fréquents. La lampe électrique s'éteignit : Claude, à quelques mètres
à peine, écrasait des feuilles en avançant ;
Perken, les jambes allongées, la tête près du
sol, ne voyait que la masse de la forêt où
se perdaient toutes les formes proches, et
la grille des lances sur le ciel. Des paroles
rôdaient autour de lui, comme une discussion étouffée.

— Tu es blessé ?

C'était Claude.

— Non. Enfin, si, pas gravement. Assieds-
toi à côté de moi. Et éteins ça. »

Les Moïs d'ailleurs préparaient un grand
feu.

Perken résuma.

— Tu as proposé plus de cent jarres...
Combien y a-t-il de guerriers ?

— De cent à deux cents.

— Ils ronchonnent... Que crois-tu qu'ils
disent ? »

Les paroles, en effet, continuaient à rôder,
plus gutturales. Deux voix se détachaient
des autres, plus hautes, affirmatives : l'une
était celle du chef.

— Je pense que le chef et le propriétaire
de Grabot discutent.

— Que défend le chef ? Le village, en
bloc ?

— Sans doute.

— Si on proposait une jarre pour chaque guerrier, et cinq ou dix, ce que tu voudras, pour le village ? »

Aussitôt, Perken fit la proposition. L'interprète avait à peine traduit qu'un murmure envahit l'ombre : chacun parlait, faiblement d'abord, puis jusqu'au jacassage furieux. Les lances s'agitaient maintenant sur le ciel criblé des mêmes étoiles que la veille. Elles disparurent : la flamme du bûcher venait de jaillir en chuintant, fouettant tout de ses battements inégaux. Elle montait et des têtes apparaissaient, nettes aux premiers plans, perdues aux derniers : presque tous les guerriers étaient là, fous de paroles, délivrés tout à coup des blancs. Chacun parlait pour soi, de plus en plus haut, les bras immobiles, mais agitant la tête ; le feu, à intervalles égaux, engloutissant le bruit de castagnettes étouffées des paroles, replaquait ses accents rouges sur leurs têtes de vieux paysans où reparaissait soudain, plus vite que la montée de la flamme, leurs regards fixes de chasseurs. Le jacassage entourait un cercle muet ; dans ce trou de silence les anciens accroupis autour du chef, les bras très longs, comme ceux des singes, parlaient l'un après l'autre. Claude ne les quittait pas du regard, anxieux de l'expression de leur visage qu'il voulait traduire, qu'il abandonnait, expression aussi étrangère que la langue qu'ils parlaient.

L'interprète vint vers Perken.

— L'un de vous partira, l'autre restera jusqu'à son retour... »

— Non ».

« Un seul peut mourir en chemin, fit ajouter Claude : alors, pas d'échange. »

Le Moï repartit, heurtant la jambe blessée de Perken qui faillit crier ; la douleur, de nouveau, s'engourdit...

Les palabres avaient repris.

« A la rigueur, dit Claude...

— Non, je connais les sauvages : s'ils espèrent vraiment, les vieux ne pourront pas tenir contre le village ; et l'important est de gagner du temps ; s'il faisait jour, j'aurais d'autres moyens... »

Le jacassage se perdit soudain dans des voix étouffées, comme celui des oiseaux dans l'envol : tous regardaient le groupe des anciens. En même temps que les têtes se tournaient, les bouches demeurées ouvertes pendant le discours des voisins se fermaient d'attention.

— « Aucune tribu ne possède une jarre par homme ! » cria Perken en siamois.

L'interprète traduisit. Le chef ne répon-

dit pas. Nul ne bougeait : l'attente s'étendait,
hostile, comme des ronds dans l'eau. Les
guerriers guettaient le chef.

Perken voulut se lever, mais il craignait
de marcher avec trop de peine, et d'affaiblir
ainsi ses paroles. Il cria encore :

« Nous serons sans escorte. Les jarres...

L'interprète vint à lui, suivi du mouvement unanime des têtes.

«... les jarres viendront dans des charrettes.

« Pas d'escorte ».

Il s'arrêtait après chaque phrase pour que
la traduction fût faite aussitôt.

« Trois hommes seulement.

« Faites l'échange dans une clairière que
vous indiquerez. »

Claude avait à tel point l'habitude de voir
les blancs approuver de la tête, que l'immobilité de ces visages, aussitôt après le mouvement qui venait de les tourner vers eux,
le heurta comme un refus. « Ça doit pourtant les séduire, murmura-t-il, de posséder
chacun la sienne !

— Ils ne se rendent pas bien compte... »

Que se passait-il ? Des Moïs se levaient.
Hésitants, le dos encore courbé, un bras
vertical tendu vers le sol sur quoi ils venaient
de s'appuyer. Et se dirigeaient vers la case

d'où venaient les blancs, leur ombre devant
eux. Trois, quatre... Ils se confondirent avec
la masse des arbres; seule, la partie supérieure des lances se voyait encore sur le ciel
étoilé... Les autres attendaient, tendus par
une attente si contagieuse qu'elle gagnait les
blancs. Au-dessus de la barre ondulée des
arbres, Claude guettait le retour des lances.
Des cris arrivèrent, auxquels répondit une
clameur satisfaite; les pointes surgirent un
instant, croisées, près d'une étoile très claire,
dsecendirent, remontèrent, de plus en plus
grandes; les hommes entrèrent dans la lumière rouge, attachés à la nuit par leurs
ombres qui s'y perdaient. Perken reconnut
parmi eux le maître de Grabot; il était allé
s'assurer de la présence de son esclave, et
les autres avaient craint qu'il ne se fût enfui.
Il voulait retourner à la case : deux guerriers
le tenaient par les poignets; tous trois criaient,
mais Perken ne les comprenait pas. Enfin, ils
s'accroupirent; les palabres recommencèrent
et de nouveau, une absurde atmosphère de
discussion paysanne s'établit sur la férocité,
sans la recouvrir tout à fait.

— Ça va durer longtemps? demanda Claude.

— Jusqu'à ce qu'ils éteignent le bûcher,
à l'aube. Toujours : l'heure des décisions
propices. »

Maintenant que son énergie ne s'appli-
quait plus, Perken retombait sur lui-même.
À peine sentait-il qu'il avait retrouvé sa
vie : lorsqu'il avait risqué torture et déchéance
en craignant de n'y pouvoir résister, il avait
été à tel point arraché à lui-même qu'il ne se
sentait plus en face que d'une vie de brouillard.
Qu'y avait-il de réel dans cette rumeur qui
montait et descendait avec la flamme, dans
ce conciliabule de fous au centre de cet
implacable écrasement de la forêt et de la
nuit ? Avec la fièvre, la haine de l'homme l'envahissait, la haine de la vie, la haine de toutes
ces forces qui maintenant le reconquéraient,
chassaient peu à peu ses souvenirs atroces,
comme ceux d'une extase. Il avait cessé de se
sentir prisonnier, bien qu'il écoutât sa blessure, ses élancements, sa fièvre, plus que sa
pensée ; mais la chaleur de bain qui sortait
de ses joues et de ses tempes désagrégeait
tout ce qui venait des hommes. Les Moïs ne
bougeaient plus ; depuis que les éclats du
foyer rayaient chaque fois les mêmes lances
plantées en terre, lissaient les mêmes bras
brillants de sueur, la rumeur passait sur l'as-
semblée presque toute perdue dans l'ombre
comme un bruissement d'insectes sur des
momies accroupies ; lorsque s'abaissait le
bûcher, les ténèbres revenaient battre ces

épaves avec un ressac d'où surgissaient les
lances en désordre. La fièvre qui montait
toujours leur donnait une immobilité miné-
rale ; la nuit se soulevait à l'assaut de cette
sauvagerie décomposée, la recouvrait comme
la forêt avait recouvert les temples, puis sa
vague s'effondrait et les têtes reparaissaient,
avec les points fixes et rouges de leurs yeux
qui reflétaient le feu jusqu'aux profondeurs
de l'obscurité.

L'aube.

Une motte de terre écrasa la dernière
flamme du bûcher. L'interprète vint s'accroupir à côté de Perken.

— Vous choisirez l'endroit et le jour.

— Serment ?

— Serment. »

Il transmit le dialogue en hurlant.

Un à un les Moïs se levèrent, débris d'un
naufrage dans le petit jour blême et froid ;
leur masse ondula comme une bâche, se
désagrégea enfin. Plusieurs urinaient, immobiles.

— Tu crois au serment, Perken ?

— Attends. Il faudrait aller chercher les
cartouches qui sont dans mon ancienne gaîne,
dans la première charrette, sous la veste...
et mon Colt...

— Où ?

— Je ne sais pas... Entre la case et ici...

Heureusement, il était tombé sur la tache sans herbe, où Claude le découvrit aussitôt. Dès qu'il l'eût pris — preuve de paix — un homme habillé sortit de leur case : Xa. Tous deux allèrent aux charrettes ; Xa sortit la gaîne puis revint vers Perken.

— Grabot ? demanda celui -ci.

Le boy écarta les mains :

— Maintenant, dormir !... »

Les anciens s'étaient accroupis sous le gaur ; un esclave apportait les jarres d'alcool. Perken se leva, appuyé sur Claude qu'inquiétait le creux et le frémissement de ses joues non rasées : il se mordait profondément pour ne pas grimacer de douleur. Le chef but, tendit le banbou : Perken approcha sa tête, s'arrêta. Tous le regardaient.

— Qu'as-tu ? » demanda Claude.

— Attends...

Refuser le serment ? Les Moïs guettaient du chef un signal. Perken avait levé la main gauche, pour appeler l'attention. Il tira le Colt de sa gaine, dit à l'interprète : « Regardez le gaur » et visa. Le point de mire tremblait ; la fièvre, et sa blessure... Pourvu que la rosée de la nuit n'eût pas enrayé l'arme... Elle était graissée... Tous les regards montaient

dans le prime matin vers l'os, poli par le soleil
et les fourmis. Perken tira. Une tache de sang
s'écrasa entre les deux cornes, s'agrandit du
centre vers les bords; une rigole rouge hésita,
descendit soudain vers le nez, s'arrêta au bord,
tomba enfin, goutte à goutte. Le chef tendit
avec crainte sa main : une goutte rouge, là-
haut, restait immobile, suspendue; elle tomba
sur son doigt. Il la lécha aussitôt, dit une
phrase qui ramena tous les regards vers la
terre, prisonniers d'une inquiétude nouvelle.

— Du sang d'homme? » demanda l'interprète.

— Oui... »

Claude attendait que Perken s'expliquât,
mais Perken regardait les Moïs. Les épaules
en avant, tout le corps affaissé et tendu à la
fois, ils se rapprochaient les uns des autres; de
seconde en seconde comme un fuyard, un
regard quittait le groupe, atteignait le crâne
et retombait, furtif. Sous cette chasse constante des yeux, sous cette angoisse, il semblait
que la tache continuât à s'étendre. Au bord
supérieur, le sang séchait, mais une autre
griole descendit vers le sol avec un zigzag
mou. Ce sang en mouvement, avec ces rigoles
comme des pattes, vivait ainsi qu'un gros
insecte, marquant l'os bleuâtre dans la lumière
comme un signe de possession.

De sa main, où sa langue avait étalé les gouttes de sang, le chef indiquait le bambou : Perken but. Claude avait espéré quelque soudaine adoration. « ...Ils sont trop familiers avec le surnaturel, dit Perken. Ils me regardent comme des blancs regarderaient le possesseur d'un fusil extraordinaire. Et me craignent de la même façon. Ce que nous y gagnons de plus clair, c'est de donner au serment du riz une valeur absolue. » Claude buvait à son tour : — « Qu'est-ce que cette histoire ? — J'ai rempli une de mes balles creuses avec le sang de mon genou. »

Le chef se leva. Xa alla atteler les charrettes; Perken et Claude retournèrent à la case où était resté Grabot. Il était étendu sur le côté, le bras allongé, la main entr'ouverte : il dormait. Perken l'éveilla, lui annonça l'entente passée avec les Moïs. Assis maintenant, la tête molle sur les épaules, il ne répondait pas, à demi endormi encore ou hostile.

« Je suis sûr qu'ils ne trahiront pas le serment du riz maintenant », dit Perken.

Grabot ouvrit la main sans répondre; Claude détourna les yeux : Xa avançait avec les charrettes, le dernier guide à côté de lui. Il avait pu atteler aussi vite qu'à l'ordinaire, car rien n'avait été pillé ; et cette reprise du cours des choses, cet évanouissement de la tragédie de la nuit tombait sur Claude comme la conscience de son propre néant. Sous le gaur un grand vide s'était fait : à l'extrémité des deux rigoles noires, sur le bord dentelé de l'os, une goutte de sang où brillait le soleil se coagulait.

Le guide montra le village siamois de sa
lance : trois cents mètres plus bas, sur une
tache de la forêt, près de quelques bananiers,
des paillottes serrées, avec leur éternel aspect
de bêtes des bois ; jusqu'à l'horizon, les lignes
décroissantes, presque parallèles, des collines :
le Siam. Le guide planta sa lance en terre pour
marquer le lieu d'échange.

« — C'est bien choisi, dit Claude : il domine
tous les sentiers qui mènent vers lui. »

Perken, couché sur une charrette dont Xa
avait enlevé le toit, comme sur un brancard,
se souleva :

« — C'est un pauvre idiot : si le Siam veut
agir, il ne le fera qu'après l'échange : il ne sera
pas difficile de faire suivre les charrettes
chargées de jarres. Celui qui aura suivi,
ensuite, guidera la colonne... »

Le Moï tenait toujours la lance ; enfin, il fut

certain que les blancs l'avaient compris.
Il se retourna et repartit en arrière, lentement
d'abord, en courant ensuite, avec une maladresse d'animal chassé. Ils n'entendaient plus
sa marche mais sentaient encore sa présence ;
il remontait vers la sauvagerie, comme une
barque vers un vaisseau.

Seuls avec leurs charrettes, avec leurs
pierres, seuls avec ce sentier qui les poussait
vers le village dont les toits scintillaient au-
delà du gouffre de lumière.

Quelques villageois parlaient siamois. Perken choisit des conducteurs, et de jour en
jour la marche reprit avec des relais aux
villages, comme au Cambodge. Plus rapide,
mais rythmée par le battement du sang dans
la jambe qui enflait davantage chaque jour,
dans le genou qui devenait de plus en plus
rouge. Perken mangeait à peine, ne se levait
plus que contraint. Le soir, la fièvre montait.
Enfin parurent les cornes et les hautes cloches
blanches d'une pagode, toute bleue dans la
lumière tropicale : le premier gros bourg
siamois. Dès l'arrivée au bungalow, Xa se
renseigna. Il y avait là un jeune médecin
indigène qui avait fait ses études à Singapour,
et habitait Bangkok d'ordinaire ; et un médecin anglais en tournée, pour deux jours
encore. « Il mange chez le Chinois... » Il était

à peine midi. Claude courut à la gargote chinoise : sous un panka, devant des murs de nattes lépreuses tendues d'énormes réclames de cigarettes, entre des sodas et des bocaux verdâtres, un dos de toile blanche, des cheveux blancs.

« — Docteur ? »

L'homme se retourna lentement, des haricots germés à l'extrémité de ses baguettes, le visage presque aussi blanc que les cheveux. Il regardait Claude, à la fois excédé et résigné.

— Qu'est-ce encore ?

— Un blanc blessé, gravement. La plaie est envenimée ».

Le vieillard haussa lentement les épaules, se remit à manger. Claude, après une minute, se décida à poser les poings sur la table. Le médecin leva les yeux.

« — Vous pourriez me laisser achever mon repas, non ?

Claude hésita. « Vais-je lui flanquer une paire de claques ? » C'était le seul médecin européen. Il s'assit à la table voisine, entre l'homme et la porte.

— « Entendu » aurait été une réponse plus courte. Achevez ».

Enfin le médecin se leva.

« — Où l'a-t-on mis ?

« Où a-t-on encore eu la bêtise de le mettre », signifiaient voix et visage.

— Au bungalow.

— Allons. »

Le soleil, le soleil...

Dès qu'il fut dans la chambre il s'assit sur le lit, ouvrit son couteau pour fendre la toile de la culotte, mais l'enflure était déjà telle que Perken l'avait fendue lui-même sur le côté. Le médecin tira l'étoffe brutalement, mais ses gestes changèrent dès qu'il commença à palper. Le gros point noir froncé de la blessure semblait sans rapport avec ce genou énorme et rouge.

« Vous ne pouvez pas plier la jambe, n'est-ce pas ?

— Non.

— Vous avez reçu une flèche ?

— Tombé sur une pointe de guerre.

— Il y a combien de temps ?

— Cinq jours.

— C'est mauvais...

— Les Stiengs n'empoisonnent jamais leurs pointes.

— Si la pointe avait été empoisonnée, vous seriez mort à l'heure qu'il est. Mais un homme s'empoisonne très bien tout seul. Admirablement fabriqué pour ça.

— J'ai mis de la teinture d'iode... quoique pas tout de suite...

— Sur une plaie aussi pénétrante, c'est comme si vous chantiez. »

Il palpait doucement le genou luisant, d'une telle sensibilité au toucher qu'il semblait élastique à Perken.

« Dur..... La rotule ballotte..... Donnez le thermomètre : 38,8... Et la température monte le soir, bien entendu. Vous ne mangez presque plus?

— Non.

— Chez les Stiengs!... »

Il haussa encore les épaules et parut réfléchir, puis il regarda de nouveau Perken, avec rancune :

« Vous ne pouviez pas vous tenir tranquille? »

Perken considérait son teint très blanc :

— Quand un opiomane me parle de tranquillité, je l'envoie toujours s'étendre. Si c'est l'heure de votre pipe, allez fumer et revenez plus tard, cela vaudra mieux.

— Je ne vous demande pas...

— Vous avez entendu parler de Perken, oui?

— Qu'est-ce que ça peut bien vous faire?

— C'est moi. Ce qui veut dire que je vous conseille de faire attention.

— Quand on pense qu'on peut avoir la paix!... »

Il se pencha de nouveau vers la blessure, non par obéissance, mais comme s'il eût cherché quelque chose ; il suivait sa pensée. « Bêtise, grommelait-il, bêtise... » Un mince sourire sur ses lèvres, écœuré, abaissant les commissures au lieu de les relever, s'effaça, revint.

— Vous êtes Perken ?

— Non, je suis le shah de Perse !

— Et cela vous paraît important, n'est-ce pas, d'avoir fait des choses dans ce pays, de vous être beaucoup remué, au lieu de rester bien tranquille, de...

— Est-ce que je vous demande, à vous, si ça vous paraît sérieux de rester bien tranquille, comme vous dites ? »

Le sourire s'était de nouveau effacé.

— Eh bien, Monsieur Perken, écoutez bien : vous avez une arthrite suppurée du genou. Avant quinze jours, vous allez crever comme une bête. Et il n'y a rien à faire, comprenez-vous ? Absolument rien. »

Le premier instinct de Perken avait été de frapper, mais le ton était tellement plus chargé d'amertume que d'hostilité, qu'il ne bougea pas. Il y discernait pourtant la haine des vieux intoxiquées pour l'action...

— Il faudrait tout de même trouver un médecin plus sérieux », dit Claude.

— Vous ne me croyez pas ? »

Perken réfléchit.

— Avant de vous voir, je sentais qu'il en était peut-être ainsi. Il y a entre la mort et moi un vieux contact...

— Ne racontez donc pas d'histoires !

— ... mais je me méfie.

— Vous avez tort. Il n'y a rien à faire. Rien. Fumez, vous aurez la paix, et ne penserez pas à autre chose ; l'opium est assez bon, par ici... Quand la douleur deviendra trop violente, piquez-vous..... Je vous donnerai une de mes seringues. Vous n'êtes pas intoxiqué ?

— Non.

— Naturellement ! Alors, en triplant la dose au besoin, vous pourrez en finir quand vous voudrez... Je vais donner la seringue au boy.

— J'ai déjà été blessé par les pointes de guerre...

— Pas au genou.. Les toxines microbiennes qui se forment là-dedans vont vous empoisonner lentement. Il n'y a qu'une solution, c'est l'amputation ; mais vous n'avez pas le temps d'arriver à une ville où l'on puisse vous amputer. Piquez-vous, pensez à autre chose ; tenez-vous tranquille, ça vous changera ! C'est tout.

— Un coup de bistouri ?

— On n'atteindrait rien : l'infection est
trop profonde, et protégée par les os. Là-
dessus, si le cœur vous en dit, allez chercher
le Siamois, comme vous le propose ce petit
jeune homme. Je vous préviens qu'il n'a
aucune expérience clinique. Et c'est un indigène... Mais il doit être dans vos idées de
nous préférer ces gens-là...

— En ce moment, beaucoup. »

Avant de franchir le seuil, Xa à côté de lui,
le médecin se retourna, regarda encore Perken
et Claude.

« Vous n'avez rien, vous ?

— Non.

— Parce que, pendant que je suis là... »

Mais c'est sur Perken que son regard restait
posé ; à sa pesanteur, au plissement des paupières, on devinait une pensée, comme un
reflet dans une glace brouillée. Enfin il
partit.

— Dommage qu'une paire de claques, ici,
ait si peu de sens, dit Claude : un joli phéno-
mène. Je vais chercher le Siamois ?

— Tout de suite. Un médecin blanc en
tournée par ici est nécessairement un phé-
nomène : opiomane ou érotomane... Xa, va
chercher le chef du poste. Tu lui donneras
ceci. (Il tendit une pièce administrative siamoise où seul son nom était inscrit en carac-

tères latins). Tu lui diras que c'est Perken.
Et trouve-moi des femmes pour ce soir. »

Quand Claude revint, — le médecin indigène allait le rejoindre bientôt — le chef de
poste était là. Perken et lui parlaient siamois :
l'officier écoutait, répondait brièvement, prenait des notes. Il écrivit sous la dictée une
dizaine de phrases.

« — Alors, Grabot ? demanda Claude, dès
qu'il fut parti.

— Nous l'aurons. Ce type pense, comme
moi, que le gouvernement va profiter de
l'occasion pour envoyer une colonne de
répression, et occuper tout ce qui pourra être
occupé dans cette région dissidente. Bon prétexte et avantage réel : Un blanc martyrisé,
les Français n'ont rien à dire, et ils pourraient
trouver un jour quelque prétexte de ce genre,
ce qui serait fâcheux. Les concessionnaires du
chemin de fer désirent vivement l'occupation
militaire..... Il a pris le texte de ma dépêche,
nous aurons la réponse ce soir. Si la colonne
fait d'abord sauter un village, la panique va
commencer dans toute la région... »

Claude regardait le chemin, entre la natte
à peine soulevée et la fenêtre sans vitre. Personne. Ce médecin siamois allait-il venir
enfin ? Les palmes disparaissaient dans le ciel

d'un bleu incandescent d'éclairage au mer-
cure ; le soleil se plaquait sur le sol avec une
telle force que toute vie en semblait arrêtée.
Ce n'était plus la transe de la forêt, mais la
possession lente de la terre et des hommes par
la chaleur, l'établissement d'une implacable
domination. Projets, volonté se volatilisaient
en elle ; au fur et à mesure qu'avec le silence
retombé elle envahissait la pièce, une autre
présence montait du flamboiement blanc du
sol, des animaux endormis, de l'immobilité
des deux hommes réfugiés dans cette ombre
surchauffée : la mort. En face de l'Anglais,
Perken avait eu beaucoup plus besoin de
répondre que de comprendre ; ensuite il s'était
efforcé d'agir, différant ainsi le retour de cette
pensée qui l'entourait comme l'éblouissement solaire. Elle le rejoignait enfin.

La tranquille affirmation du médecin ne le
convainquait pas, et, quoi qu'il en eût dit,
ses propres sensations, maintenant qu'il s'efforçait de les saisir plus lucidement, ne le
convainquaient pas davantage. Il avait l'habitude des blessures ; la fièvre, la souffrance
intermittente qui lui tordait le genou, il les
connaissait : c'était là, dans cette sensiblité
d'abcès, dans ces réflexes de la chair tuméfiée
qui s'écarte nerveusement du plus léger objet,
qu'était son mal ; là et non dans quelque

empoisonnement du sang dont il ne souffrait pas. Seule luttait contre l'affirmation de la plaie l'affirmation des hommes : sur ce médecin siamois, il semblait qu'il dût conquérir sa vie.

A peine fût-il entré que tout cela s'effondra avec une secousse de réveil : son indifférence professionnelle suffit à détruire ce monde de défenses. Perken se sentit brutalement séparé de son corps, de ce corps irresponsable qui voulait l'entraîner dans la mort. Le médecin défit le pansement et considéra la plaie, accroupi à la siamoise au bord du lit ; Perken énumérait les symptômes qu'il avait fait connaître au médecin anglais. Le Siamois ne répondait rien, palpant toujours avec une adresse extrême. Perken était saturé d'impatience, mais sans angoisse : de nouveau en face d'un adversaire, cet adversaire fût-il son propre sang.

— Monsieur Perken, en venant, j'ai rencontré le Docteur Blackhouse. C'est un homme... impur, mais c'est un médecin expérimenté. Il m'a dit avec son mépris d'Anglais — comme si j'ignorais cette maladie — que c'était une arthrite suppurée. Je la connais par les manuels, elle a été répandue pendant la guerre européenne ; mais je ne l'ai pas encore rencontrée. Les symptômes sont ceux que vous présentez. Pour

lutter contre une maladie infectieuse de
cette nature, il faudrait pratiquer l'amputation.
Mais ici, dans l'état actuel de la science... »

Perken leva les mains, coupant le discours.
Ce charabia d'occidentalisé lui rappela que
la prudente confirmation de sa mort lui
était donnée dans l'attente d'une juste rétri-
bution. Il paya ; l'homme partit. Il le suivit
du regard, — comme une preuve.

Il croyait à la menace plus qu'à la mort :
à la fois enchaîné à sa chair et séparé
d'elle, comme ces hommes que l'on noyait
après les avoir liés à des cadavres. Il était si
étranger à cette mort aux aguets en lui qu'il
se sentait de nouveau en face d'un combat :
mais le regard de Claude le rejeta dans son
corps. Il y avait en ce regard une complicité
intense où se heurtait la poignante fraternité
du courage et la compassion, l'union ani-
male des êtres devant la chair condamnée ;
Perken, bien qu'il s'attachât à lui plus qu'il
ne s'était attaché à aucun être, sentait sa
mort comme si elle lui fût venue de lui.
L'affirmation impérieuse était moins dans les
paroles des médecins que dans les paupières
que Claude venait instinctivement d'abaisser.
L'élancement du genou revint, avec un
réflexe qui contracta la jambe : un accord
s'établit entre la douleur et la mort, comme

si l'une fût devenue l'inévitable préparation
de l'autre ; puis la vague de douleur se
retira, emportant avec elle la volonté qui lui
avait été opposée, et ne laissa que la souffrance ensommeillée, à l'affût : pour la première fois se levait en lui quelque chose de
plus fort que lui, contre quoi nul espoir ne
prévalait. Contre cela aussi, il fallait pourtant
lutter.....

« Ce qui est étonnant, Claude, dans la
présence de la mort, même... lointaine, c'est
qu'on sait tout à coup ce qu'on veut, sans
hésitation possible... »

Ils se regardaient, soumis à ce lien silen
cieux qui plusieurs fois déjà les avait unis.
Perken s'était assis sur le lit, la jambe étendue ; son regard était redevenu précis, mais
chargé de conscience, comme si cette volonté
ne se fût pas encore dégagée des regrets
qu'elle traînait avec elle. Claude cherchait à
le deviner.

— Tu veux remonter avec la colonne ?

Perken hésita de surprise ; il n'y avait pas
songé. Les Stiengs, dans son esprit, n'avaient
pas participé à sa mort.....

— Non : maintenant, j'ai besoin des
hommes. Il faut que je remonte dans ma
région. »

Et soudain, Claude découvrit combien

Perken était plus vieux que lui. Ni au visage,
ni à la voix : il semblait que les années pesas-
sent sur lui comme une foi : irrémédiable-
ment différents, d'une autre race.....

— Et les pierres ?

— Maintenant, il n'y a rien de pire que
ce qui était l'espoir... »

Parviendrait-il seul, jusqu'à ses montagnes ?...

Rien n'empêchait plus Claude d'atteindre
Bangkok.

Rien, sinon la présence de la mort.

— J'irai avec toi. »

Silence. Comme pour se délivrer de
l'empire des rares unions humaines, tous
deux regardaient la fenêtre, éblouis par la
lumière du dehors qui scintillait sous la
natte. Les minutes passaient, brûlées par le
soleil immobile. Claude pensait aux pierres
abritées sous les toits des charrettes, vidées
de la vie qui les avait si furieusement opposées
à lui. S'il les laissait au poste, il les retrouverait.
Et ne les retrouvât-il pas... « Pourquoi ai-je
décidé d'aller avec lui ? » Il ne pouvait pas
l'abandonner, le livrer à la fois à cette humanité dont il le sentait à jamais séparé, et à la
mort. L'exercice de cette puissance qu'il ne

connaissait pas l'attirait comme une révélation ; surtout, c'était de telles résolutions,
d'elles seules, qu'il nourrissait le mépris qui
le séparait de toutes les acceptations des
hommes. Vainqueur ou vaincu, il ne pouvait
en un tel jeu que gagner en virilité, qu'assou-
vir ce besoin de courage, cette conscience de
la vanité du monde et de la douleur des
hommes qu'il avait si souvent vus, informes,
chez son grand'père... La natte s'écarta sans
bruit, jetant dans la pièce un tourbillon
d'atomes triangulaires ; il lui sembla que ses
raisons se perdaient, légères et dérisoires,
dans cette masse d'air ; qu'il ne connaîtrait
jamais, de lui-même, que sa volonté.

Pieds nus, un indigène apportait un télé-
gramme, la réponse provisoire reçue par le
chef du poste : « *Préparez cantonnements,
base d'action colonne répression huit cents
hommes mitrailleuses.* »

— Huit cents hommes, dit Perken. Ils
veulent pacifier la région... Jusqu'où ?...
Même si je ne l'avais pas choisi, il faudrait
que je retourne là-haut..... Et ils emportent
des mitrailleuses, eux... »

Xa rentra.

« Missieu, y en avoir femmes... »

— Moyen trouver pour moi aussi ? demanda Claude.

— Moyen.

Tous deux sortirent.

Deux femmes se tenaient à droite de la porte. La même hostilité arrêta Perken devant les fleurs de la plus petite et devant son visage aux lèvres douces ; il détestait maintenant la langueur. Il fit signe à l'autre de venir, avant même de l'avoir regardée. La petite partit.

L'air était suspendu comme si le temps se fût arrêté, comme si le tremblement des doigts de Perken eût seul vécu dans le silence soumis à l'immobilité asiatique de ce visage au nez courbe et fin. Ce n'était ni le désir, ni la fièvre, bien qu'il sentît à l'intensité de ce qui l'entourait qu'elle montait : c'était le tremblement du joueur. Ce soir, il ne craignait pas l'impuissance ; mais, malgré l'odeur humaine dans laquelle il plongeait, il était repris par l'angoisse.

Elle s'étendit, déshabillée, son corps sans poils et flou dans la pénombre marqué par l'infime naissance du sexe et les yeux auxquels il restait attaché, pas encore las d'y chercher en vain la prenante déchéance de la nudité. Elle les ferma pour fuir la domination qui naissait de ses sentiments inexplicables ; habituée au désir des hommes, mais fascinée par l'atmosphère qui naissait, dans

cet absolu silence, du regard qui ne quittait
plus le sien, elle attendait. Contrainte par les
coussins à desserrer légèrement les jambes
et les bras, la bouche entr'ouverte, elle semblait créer son propre désir, appeler l'assouvissement par la lente ondulation de ses
seins. Leur mouvement envahissait la chambre : répété, semblable à lui-même, plus
actif chaque fois qu'il recommençait. Il descendit en vague, remonta peu à peu ; les
muscles se tendirent, et tous les creux d'ombre s'élargirent. Dès qu'il passa le bras sous
elle, et qu'elle dut l'aider, il sentit que la
crainte la quittait ; elle prit appui sur sa
hanche pour se déplacer légèrement : l'accent jaune de la lumière, une seconde, entoura
la croupe comme un coup de fouet, disparut
entre les jambes. La chaleur de son corps le
pénétra. Soudain elle mordit ses lèvres, accentuant à l'extrême, par cette infime interven-
tion de sa volonté, l'impossibilité où elle était
de réprimer l'ondulation de sa poitrine.

A dix centimètres du visage aux paupières
bleuâtres, il le regardait comme un masque,
presque séparé de la sensation sauvage qui
le collait à ce corps qu'il possédait comme il
l'eût frappé. Tout le visage, toute la femme
étaient dans sa bouche tendue. Soudain les
lèvres gonflées s'ouvrirent, tremblant sur

les dents, et, comme s'il fût né là un long
frémissement parcourut tout le corps tendu,
inhumain et immobile comme la transe
des arbres sous la grande chaleur. Le visage ne vivait toujours que par cette bouche,
bien qu'à chaque mouvement de Perken
correspondît un grattement de l'ongle sur
le drap. Sous le frémissement devenu intense, le doigt, tendu dans le vide, cessa
de toucher le lit. La bouche se ferma comme
se fussent abaissées des paupières. Malgré
la contraction des commissures des lèvres,
ce corps affolé de soi-même s'éloignait de
lui sans espoir ; jamais, jamais, il ne connaîtrait les sensations de cette femme, jamais il
ne trouverait dans cette frénésie qui le
secouait autre chose que la pire des sépara-
tions. On ne possède que ce qu'on aime. Pris
par son mouvement, pas même libre de la
ramener à sa présence en s'arrachant à elle,
il ferma lui aussi les yeux, se rejeta sur lui-
même comme sur un poison, ivre d'anéantir,
à force de violence, ce visage anonyme qui le
chassait vers la mort.

QUATRIÈME PARTIE

I

Encore les nuits et encore les jours — la mort à côté, comme Claude, — dans la chaleur et les moustiques qui semblaient monter de ce genou lancinant; roulé à travers la forêt par cette torpeur, par cette irrégulière alternance des clairières déchirées et de la végétation qui remplaçait celle du jour et de la nuit, par ce monde où maintenant les nuits s'allongeaient comme les feuilles, — où le temps même pourrissait. Les déchirures se rapprochaient, comme si la forêt enfin arrachée eût laissé place à la lumière; mais Perken savait que c'était la grande vallée, qu'une nouvelle vague de forêt retomberait sur son corps fixé, sur sa volonté saccagée où l'espoir se perdait dans les hurlements des chiens sauvages, dans l'atroce chaleur des piqûres d'insectes. Il avait fait retirer un moment son soulier : la chair était grenat, piquée jusqu'à la limite du cuir comme par un tatouage.

Sur la douleur, les démangeaisons, la pourriture, sur le cri sans fin des singes et les
branches tordues qu'il retrouvait devant
chaque trou de forêt depuis qu'ils remon-
taient vers le Laos, vers *sa* région, la vie des
Stiengs chassés emplissait les profondeurs
dont elle n'émergeait pas, comme une su-
prême décomposition. Les jarres remises,
Grabot restitué, dirigé sur l'hôpital de Bangkok, la colonne de répression, emportant ses
hommes blessés par les lancettes et les pièges,
avait marché sur le village, fait sauter la porte
et nettoyé les cases à coup de grenades : il
n'en restait qu'un charnier, des cochons noirs
en quête parmi des jarres pulvérisées, des
ventres couverts d'animaux... Les Stiengs en
fuite balayaient les villages; la colonne qui
les suivait perdait beaucoup d'hommes dans
la haute forêt, par le poison des blessures surtout : les miliciens traitaient les malades abandonnés par les grenades, les blessés par les
baïonnettes. La migration creusait la forêt
comme la lente ruée des animaux vers les
points d'eau; elle la remontait vers l'Est sans
troubler sa surface froncée, mais, au soir, de
longues lignes de feux dans l'air immobile,
droites, indiquaient l'arrêt de la marche
épique des tribus sur la fuite sans fin des
arbres.

Quelques jours après que Claude et Perken
avaient quitté le bourg siamois, les feux
avaient commencé à apparaître; plus nombreux chaque nuit à mesure qu'ils approchaient à la fois de la région de Perken et des
travaux du chemin de fer, ils barraient l'horizon, maintenant, à chaque nouvelle déchirure de la forêt. Invisible dans la nuit pleine
de cigales, la colonne, et derrière la colonne,
le gouvernement du Siam... « Les hommes
comme moi doivent toujours jouer d'un
État », avait dit Perken. L'État était au fond
de cette obscurité, chassant devant lui les
tribus animales avant de chasser les autres,
allongeant de kilomètre en kilomètre la ligne
de son chemin de fer, enterrant d'année en
année, toujours un peu plus loin, les cadavres
de ses aventuriers. Le jour, quand apparaissaient les fumées aussi nettes que les troncs,
la jumelle découvrait entre elles, sur le ciel,
des crânes peints en rouge. Ces feux dont le
crépitement semblait étouffé par l'immensité,
quand atteindraient-ils le chemin qui permettait de passer? La percée de la ligne du
chemin de fer, très loin en arrière, lançait son
phare vers le ciel dès que les fumées commençaient à se perdre dans les ténèbres, comme
si la grande fuite des Moïs, leur moutonne-
ment de bétail en transhumance sous les

feuilles eût trouvé son centre dans le triangle
lumineux projeté sur le ciel par les blancs.
A travers une nouvelle déchirure des arbres,
un paysage profond commençait à se creuser,
comme vu d'un avion, sans rien qui rattachât
au sentier ses lignes plongeantes, ses lointains
saturés d'un bleu épais. Le soleil qui se perdait dans ce fond y frissonnerait comme dans
l'eau, masse vitreuse sur les crêtes, poussière
autour des palmes. Au loin — quelques cloches blanches bouddhiques dans la verdure
noire, — annonciateur des territoires de Perken, Samrong, le premier village laotien allié,
le premier dont il connût le chef. Devant lui,
les fumées montaient dans l'immensité
qu'elles agrandissaient encore, et leur avance
se liait si directement à la vie de la forêt
qu'elle semblait invincible, venue de la terre
et non des hommes, comme un incendie ou
une marée.

« Pourquoi diable marchent-ils sur le village, où les guerriers sont armés? Il faut
qu'ils y soient obligés...

— La famine? demanda Claude.

— La colonne les a abandonnés maintenant : il est entendu qu'elle ne dépassera pas
la rivière. Au delà, c'est la région de Savan,
et au delà, la mienne.

La rivière en U brillait là-bas, incandescente, seule blanche dans le gouffre bleu.

« Il faudrait aider Savan à défendre son village...

— Dans ton état ?

— En suivant la crête, nous serons là-bas bien avant eux. Un jour de retard, au plus...

Il regardait toujours le village et la forêt, mais, bien qu'il rongeât furieusement ses ongles pour ne pas se gratter, son regard se perdait. Claude comprenait trop bien la fraternité qui l'attirait là pour insister. Et l'anxiété le faisait taire : ainsi que s'ils fussent nés des hautes fumées qui avançaient inexorablement à travers l'étendue, comme les génies de la forêt, des coups frappés l'un après l'autre se perdaient dans le grand silence ensommeillé ; trop faibles pour emplir cet enfer de lumière, ils y disparaissaient comme les rares oiseaux qui retombaient dans la masse des arbres dès qu'ils en sortaient, avec une trajectoire de pierres, épouvantés par l'oppression du soleil ; les intervalles réguliers qui séparaient ces coups perdus dans la lumière leur donnait le caractère d'une annonce solennelle frappée dans une planète lointaine. Claude se souvint du son du pied-de-biche sur la pierre.

— Écoute...

— Quoi ?

Il n'écoutait que la descente de sa douleur.
Il cessa de respirer. Un... deux... trois...
quatre... Les coups se rapprochaient, nets mais
sourds, presque spongieux ; la lente marche
des fumées en accentuait l'accélération.

— Ce sont des hommes, reprit Claude.
Est-ce qu'ils construiraient une espèce de
retranchement ?

— Les Moïs ? Ce ne sont pas eux : les
fumées avancent toujours, et le bruit est bien
plus près de nous.

Perken essayait d'orienter sa jumelle grâce
au son, mais en vain : le brouillard bleu de la
chaleur, sans masquer la forêt, en voilait les
formes ; les élancements de son genou se
déclanchaient en lui comme des coups de
cloche, un à un, sans s'accorder aux coups
lointains, et aucune forme humaine n'apparaissait sur cette nature haineuse qui semblait
susciter elle-même ces fumées et cet inexplicable martèlement. En bas, un point étincelant parut, comme un éclat de soleil sur une
vitre.

Il n'y avait pas d'eau par là.

Il regarda de nouveau, arrêta la charrette,
regarda encore. Son pied douloureux et mort
à la fois cachait la lumière ; il se souleva, ne
tentant pas même d'écarter cette chair séparée
de lui, — comme s'il eût pu souffrir dans la

chair d'un autre. Maintenant, il voyait. Claude
tendait la main, mais Perken ne lui passait
pas les jumelles. Le point étincelant montait
et descendait, intermittent comme le crépitement des coups qui semblaient naître de
lui. Perken laissa retomber sa main. Claude
voulut prendre les jumelles, qu'il ne lâchait
pas ; il desserra enfin ses doigts.

« — La rivière est pourtant là-bas ? dit-il.
Claude fixait du regard le point lumineux :
marmite, objet de campement ? loin *en
avant* de la rivière. Tout près, des lignes
minces, croisées, des formes humaines, des
surfaces géométriques plus grandes. Celles-
là, il les connaissait : des tentes. Les lignes
croisées étaient des faisceaux. Lui aussi
regarda de nouveau la rivière : elle était loin
en arrière, fort loin. Et un nouveau point
lumineux s'alluma en avant, suivant les
fumées des Moïs.

« La colonne ? demanda Claude.
Perken se taisait. Enfin :
— Pour ceux-là aussi, je suis déjà mort...
Il regardait alternativement sa jambe et
cette lumière, avec une sorte d'horreur. Le
regard abandonna la jambe. Ces maillets de
bois qui résonnaient à travers l'étendue en
frappant les piquets de ses tentes comme des
barriques sonores, dominaient peu à peu, à

mesure que le son s'étendait, les fumées, la
forêt même, tout ce qui s'écrasait sous le
soleil ; la volonté des hommes reprenait ici
sa place de commandement, au service de la
mort. Malgré la douleur, il se sentait furieusement vivant contre cette affirmation de sa
déchéance. De nouveau, combattre. Et pourtant, tout ce qu'il avait fait était devant lui
comme son propre cadavre. Avant une semaine
la colonne pouvait être chez lui, et sa vie
n'aurait été qu'une attente vaine.

Les faisceaux étaient là. La colonne avançait, indifférente au grand coude de la rivière
d'où montait une phosphorescence bleuâtre
de lumière électrique. Les tentes étaient là.
Et pourtant il n'éprouvait pas de certitude,
mais une anxiété plus écœurante, semblable
à ces demi-pertes de conscience qui précèdent
les vomissements. Attentif avant tout, contre
sa volonté, à la douleur qui montait et descendait comme un bateau, il retrouvait la
colonne et la mort dans son soulagement ;
attachées l'une à l'autre, avançant toutes
deux vers leur but comme les grandes fumées.

« Il se peut, pensa-t-il, que faire sa mort
me semble beaucoup plus important que faire
sa vie... »

Il leva les jumelles sur le village qui reparut

avec une netteté surprenante, entre les deux masses troubles des souliers.

Dans sa vie qui dévalait maintenant en précipice, ce village s'enfonçait comme une pierre à laquelle il devait s'accrocher — comme celles du temple. Et les jumelles revenaient, d'elles-mêmes, vers la colonne. Mais les deux vagues se suivaient, et il faudrait combattre les Stiengs d'abord.

« Chez Savan aussi, nous serons un bon moment avant eux...

— Tu as une grande confiance en ce type ?

— Non : je ne suis sûr que des chefs du Nord. Nous n'avons pas le choix... »

II

Les coups de feu de plus en plus précipités, mêlés maintenant aux échos, entouraient Samrong et ses cloches bouddhiques de leurs points intermittents, à l'exception d'une tache noire. A l'intérieur de leur courbe presque fermée, les cigales nocturnes, la lueur roussâtre d'un fanal : la paix laotienne, pesante, emprisonnée.

— Toujours rien, Claude, en bas ?

Perken ne pouvait plus se lever.

Claude reprit les jumelles :

« Impossible de rien voir... »

Il n'avait pas reposé la lorgnette que la lueur courte d'un nouveau coup de feu parut, tout près d'une cime ; un écho répercuta la détonation, un ton plus haut. Un nouveau coup. Leur lueur semblait sale, si près des étoiles.

— Est-ce que les Stiengs auraient encerclé le village ?

— Impossible ».

Perken montra du doigt une colline indistincte :

« Nos guetteurs ne tirent toujours pas par là ; donc ils ne tentent pas de monter.

— Moïs savoir y en avoir mitrailleurs du côté travaux du chemin de fer », dit Xa.

Les feux tremblottaient comme des flammes rougeâtres, au-delà des coups de fusils. Perken ne cessait de les regarder ; où ils luisaient, la colonne n'était pas encore parvenue. Une forme passa dans le champ de la jumelle, très près, cachant celle que Perken examinait.

— Qui va là ?

Allongé sur un bas-flanc, il dominait le jardin de la hauteur des pilotis. La forme disparut. Il tira dans sa direction, au hasard, guettant un cri. Rien.

« C'est la seconde fois...

— Depuis que tu leur as conseillé d'arrêter la colonne, répondit Claude, les choses se gâtent... Tant qu'il ne s'agissait que de les aider contre les Stiengs...

— Tas d'abrutis !

Les guetteurs postés par Perken tiraient beaucoup plus maintenant : c'était le flot des

Stiengs qui avaient lutté contre la colonne
qui venait battre le village.

— Tu es sûr de ce que tu leur dis ? Je
crains que s'ils envoient des parlementaires,
le chef de colonne ne s'en fiche, et que s'ils
tirent, on ne riposte avec les mitrailleuses...

— Les instructions ne permettent pas à la
colonne de lutter contre eux. Ils sont bouddhistes, sédentaires, armés comme mes
hommes. On négociera. Mais s'ils laissent
entrer les miliciens sans conditions, on
« administrera » comme disent les Siamois.
Il n'y a que Savan qui comprenne cela...
mais son autorité de chef devient aussi trem-
blotante que ces coups de fusil... Il n'y a pas
à discuter : s'ils entrent ici, le chemin sera
ouvert jusque chez moi : je ne tiens fortement
que les chefs du Nord... »

L'odeur sauvage des feux passa, portée
par la nuit.

« Ce n'est pas seulement pour organiser
leur défense contre les Stiengs que nous
nous sommes arrêtés! »

Les coups de fusil de plus en plus nombreux nourrissaient par leur rythme de mi-
trailleuse au ralenti l'obsession de Perken; ils
paraissaient et disparaissaient, accentuant la
constance des feux immobiles. De nouveaux
feux s'allumèrent : au fur et à mesure que le

tir de barrage se précipitait, ils apparaissaient, lointains et fixes, sur plusieurs rangs de profondeur ; mais sous l'éclat rapide de la poudre, leur immobilité était si solennelle qu'elle semblait indifférente au combat, née de la chaleur et de la nuit.

— Crois-tu qu'ils puissent se réunir pour donner l'assaut ? demanda Claude.

— Ils sont maintenant très nombreux : regarde les feux...

Perken réfléchit.

« Ils prendraient certainement le village. Mais ils sont bien incapables de s'unir. Mes hommes, et les chefs que je voulais réunir, sont des Laotiens bouddhistes comme les gens de cette région-ci, et les maintenir ensemble est déjà presque impossible. Ajoute que les Stiengs attaquent toujours les passages, forcément .On donne mal un assaut devant des cadavres anciens, on le prépare mal dans leur odeur. C'est surtout la famine qui les pousse, en ce moment. Demain, ils auront de nouveau la colonne sur les reins... »

Il réfléchit encore.

« Nous aussi... »

La fusillade reprit, diminua de nouveau, comme une courbe sur les feux. Un homme sortit de l'ombre à l'entrée de la case, ses pieds nus touchant les barreaux de l'échelle

comme des mains, sans un bruit. Dans la
lumière trouble du photophore, la tache claire
s'élevait : tête, buste, jambe. Un messager.
Perken se souleva, grimaça de douleur, retomba. La montée de la douleur était en lui si
dominatrice que, pour ordonner, il en guettait l'affaiblissement, comme la descente d'un
être vivant. L'homme déjà parlait rapidement, par phrases courtes, avec le ton de
ceux qui récitent. Claude devinait qu'il avait
appris par cœur ses phrases siamoises, et
regardait Perken, comme s'il eût pu comprendre plus aisément le silence d'un Européen. Perken cessa de considérer l'homme,
qui parlait toujours ; les paupières abaissées,
il eût semblé endormi sans l'imperceptible frémissement de ses joues. Soudain il leva les
yeux.

— Qu'y a-t-il ? demanda Claude.

— Il dit que les Stiengs savent que je suis
ici et que c'est pour cela qu'ils attaquent et
reviennent. D'ailleurs nous sommes des ennemis moins dangereux que la colonne... »

La fusillade venait de s'arrêter ; le messager
repartit, accompagné de Xa.

« Le village n'est pas encerclable... Nous
avons les fusils... »

On entendit le double écho de deux coups
de feu ; le silence retomba.

... « Il dit aussi que des ingénieurs du chemin de fer sont avec la colonne...

Claude commençait à comprendre.

— Mais ils travaillent activement là-bas !
ils ont fait sauter au moins dix mines dans la
journée...

— Chacune de ces explosions tombe sur
moi comme une engueulade... Ils avancent,
il n'y a pas de doute... S'ils viennent ici...

— Changer leur tracé maintenant ?

Perken ne fit aucun geste ; il regardait
l'ombre, devant lui, sans bouger.

— Passer chez moi leur ferait faire de
sérieuses économies... Je pense qu'ils sont
pleins de courage : les Moïs filent comme des
bêtes. Ils ne passeront pas là-bas, même en
colonne. »

Claude ne répondit pas.

« ... Même en colonne... » répéta Perken.

Il se tut encore.

« Avec trois mitrailleuses, seulement trois
mitrailleuses, ils n'auraient jamais pu passer... »

La fusillade reprit, faible, s'arrêta de nouveau.

« Ils vont se tenir tranquilles : voici le
jour... »

— Savan doit venir au lever du soleil ?

— Je le pense... Tas d'imbéciles ! S'ils
laissent venir la colonne...

III

Savan gravit l'échelle. Plusieurs aubes pas-
seraient-elles encore avant la catastrophe ?
Perken regardait ses cheveux gris en brosse,
ses yeux inquiets, son nez de Bouddha
laotien, qui s'élevaient dans l'encadrement
de la porte : depuis que la mort était en lui,
les êtres perdaient leur forme. Ce chef qu'il
connaissait existait moins à ses yeux, indi-
viduellement, que le vieux chef du village
Stieng. Pourtant, ces mains déjà prêtes à la
discussion... Un homme bon seulement
pour parler. D'autres têtes parurent, superposées : des hommes le suivaient. Tous
entrèrent. Savan hésitait : il n'aimait pas
à s'accroupir devant les blancs, et détestait s'asseoir. Il resta debout, considéra ses
pieds avec attention, ne dit rien. Chacun
attendait. Ce silence asiatique exaspérait
Claude ; Perken en avait l'habitude, mais il
le supportait plus douloureusement depuis

qu'il était blessé : les attentes lui faisaient
éprouver avec violence son immobilité. Il se
décida le premier :

« — Si la colonne vient ici, vous savez
ce qui va se passer.

Maintenant, on commençait à distinguer la
fuite des pentes, jusqu'à l'horizon ; à quelques
centaines de mètres, des crânes accrochés à
des arbres solitaires sortaient de la nuit. Le
vent de l'aube inclinait les cimes, et les grandes
vagues de végétation qui se répétaient de
colline en colline semblaient continuer son
mouvement, portées par la fuite invisible des
tribus. Une mine sauta. Ils ne voyaient pas
la percée du chemin de fer, de l'autre côté
de la case ; mais aussitôt après le grondement
qui emplit la vallée, ils entendirent le bruit
de chute des pierres et des quartiers de rocs,
en pluie.

« Après-demain, la colonne sera là. Je vous
répète que si le village résiste, avec les armes
à feu que vous possédez, elle remontera vers
le Nord. Sinon, le chemin de fer passera ici.
Voulez-vous vous soumettre aux fonctionnaires siamois ?

Savan répondit par un geste négatif mais
plein de méfiance.

— Il est plus facile de combattre une
colonne qui n'a pas reçu l'ordre de vous

attaquer que de combattre les troupes régu-
lières venues par la voie ferrée... »

« Mais d'ici-là, dit–il en français à Claude,
je serai peut-être mort... »

Saisissant accent : de nouveau, il croyait
à sa vie.

Des indigènes entraient un à un, s'accrou-
pissaient dans la case. Ils ne parlaient pas
siamois entre eux, et Perken ne comprenait
pas leur dialecte, mais leur hostilité était
visible. Savan les montra du doigt.

— Ils ont d'abord peur des Stiengs.

— Contre les fusils, les Stiengs n'existent
pas ! »

Le doigt du chef, resté en l'air, se tourna
vers la forêt. Perken prit ses jumelles, regarda
les arbres : au sommet des plus grands, des
hampes montaient une à une, surmontées
de boules grossières : les Stiengs ne fuyaient
plus. A défaut de fétiches peu nombreux,
tout un monde de crânes, d'animaux tués
à la chasse surgissait de la forêt, inscrivait
la menace de la sauvagerie sur le ciel du
matin, comme si un foisonnement d'os nés
du crâne de gaur fût descendu jusqu'à
la rivière, en fuite lui aussi, dans une
prolifération d'insectes. Cages thoraciques,
crânes, et jusqu'à des peaux de serpents
se balançaient là-haut, d'une blancheur de

craie, soudaine affirmation de la famine dont
les remous torturaient la migration des
sauvages. Et sur la droite, tout près de
la rivière, obsédant, un des fétiches qui
figurent les pleureuses des morts, d'une douleur inconnue aux civilisés, surmonté d'un
crâne humain entouré de petites plumes.
Perken abaissa ses jumelles : de nouveaux
indigènes entraient dans la case. Deux portaient des fusils, qui brillaient vaguement :
il se souvint de la case où pendait la veste
de Grabot.

« — Vous jouez votre vie à tous : si vous
envoyez des parlementaires et tirez sur la
colonne, elle n'insistera pas ; je connais ses
instructions. Et elle peut prendre les Stiengs
à revers. Sinon... »

Plusieurs des assistants comprenaient le
siamois. Une protestation véhémente, une
sorte d'aboiement, coupa sa phrase. Savan
hésita, se décida :

— Ils disent que c'est ta faute si les Stiengs
nous attaquent.

— Ils vous attaquent parce qu'ils crèvent
de faim »

Tous, maintenant, regardaient Savan, qui
hésita de nouveau, se décida enfin :

— Que, sans toi, ils nous laisseraient.

Perken haussa les épaules.

— Et qu'ils veulent que tu t'en ailles. »

Perken frappa le bas-flanc du poing. Tous les indigènes accroupis se relevèrent avec un bond de grenouilles : les deux Laotiens aux fusils mettaient les blancs en joue.

— Ça y est, pensa Claude. Idiotie !

Perken regardait au-delà des têtes menaçantes : Xa, pourtant, n'était pas dans la case.

— S'ils bougent, cria-t-il, le regard porté derrière les assistants, tire ! »

Sans abaisser leur fusil, ils se retournèrent le plus vite possible. Deux coups de feu : Perken venait de tirer à travers sa poche. La secousse fut si douloureuse qu'il crut une seconde avoir tiré dans son genou : mais l'un des Laotiens basculait ; l'autre, debout, son fusil lâché, pétrissait à deux mains son ventre, la bouche ouverte, avec les yeux stupéfaits des mourants. La fuite générale le fit basculer à son tour, les cinq doigts dressés au-dessus des têtes en débandade. Sur le clapotement des pieds nus, le silence retomba.

Savan seul était resté.

« — Et maintenant ? » dit-il à Perken.

Il attendait, résigné, la venue des catastrophes qu'amenait toujours avec elles, plus ou moins tôt, la folie des blancs. Le monde de bouddhisme et de nonchalance dans lequel il vivait semblait l'entourer ; au-dessus des deux

corps en chien de fusil dont le sang coulait
sans le moindre bruit, il restait debout, le
regard perdu, immobile comme une apparition devant la place désertée. « Ceux qui
criaient le plus tout à l'heure ne peuvent être
que ses rivaux, pensa Perken ; il ne doit pas
être fâché d'en être débarrassé... » Il les
vit soudain, devant lui, avec ce sang qui
coulait d'eux, par un trou invisible, comme
d'une chose qui n'eût jamais été vivante :
bien qu'il sût qu'ils étaient là, il avait l'impression qu'ils s'étaient enfuis avec les autres.
Morts. Et lui ? Vivant ? Mourant ? Quels liens
pouvaient s'établir entre Savan et lui ?
L'intérêt et la contrainte, il le savait. Oui,
on pouvait soulever ces hommes, mais il
fallait cette révolte ou cette guerre qu'il
attendait depuis des années. Savan eût-il
accepté de lutter contre la colonne, que la
moitié du village se fût sans doute enfuie.
Ces alliances dont il avait attendu jadis
jusqu'au sens de sa vie lui paraissaient soudain fragiles comme ce Laotien hésitant avec
qui il n'avait jamais combattu. Contre l'envahissement des blancs, contre la colonne,
contre ces mines qui ébranlaient les vallées,
il ne pouvait compter que sur des hommes à
qui il était humainement lié, sur des hommes
pour qui le loyalisme existait : les siens. Et

même ceux-là... sans sa blessure, jamais des
Laotiens n'eussent osé le mettre en joue.
S'il était diminué à leurs yeux, il ne l'était
pas encore aux siens ; ces deux-là venaient
de le voir. Il releva la tête vers Savan : leurs
regards se rencontrèrent et il vit, comme si le
chef eût parlé, qu'il était pour lui un con-
damné. Pour la seconde fois, il rencon-
trait sa mort dans le regard d'un homme ;
il éprouva furieusement le désir de tirer
sur lui, comme si le meurtre seul eût pu lui
permettre d'affirmer son existence, de lutter
contre sa propre fin. Il allait retrouver ce
regard dans les yeux de tous ses hommes ;
cette sensation démente d'empoigner la mort,
de la combattre comme un animal, qui venait
de le frapper lorsqu'il avait pensé tirer sur
Savan, s'étendait en lui avec une puissance de
crise. Son pire adversaire, la déchéance, il
allait le combattre dans l'âme de chacun de
ses hommes. Il se souvint d'un de ses
oncles, hobereau danois qui après mille folies
s'était fait ensevelir sur son cheval mort sou-
tenu par des pieux, en roi hun, attentif durant
son agonie à chasser par la volonté de ne
pas crier une seule fois, malgré l'appel de tous
ses nerfs, l'effroyable épouvante qui secouait
ses épaules comme une danse de Saint-Guy...

« — Je vais partir. »

IV

Plus de villages : contre le ciel, les premières des montagnes dont Perken attendait
sa délivrance ; en bas, la rivière. A la surface de la forêt, le vol lourd des oiseaux
et des papillons glissait en reflet ; mais
devant les Moïs que la colonne rabattait
jusqu'à l'horizon, les petits animaux, les singes
surtout, fuyaient avec une panique d'incendie.
Ils passaient la rivière par centaines, semblables à des tourbillons de feuilles lorsqu'ils
arrivaient, à des chats lorsqu'ils s'arrêtaient
au bord, la queue en l'air. Un gros s'agitait
au milieu de l'eau, sur une pierre sans doute :
à la jumelle, Claude le voyait très distinctement, occupé à arracher de son dos, avec un
air de chien mouillé, les petits qui s'y cram-
ponnaient. Sur l'autre rive ils disparaissaient
en coup de vent dans des claquements de
branches, et leur fuite apparue entre les deux

rives de la forêt reliait l'eau éblouissante
à la grande courbe de l'exode des tribus.

Les feux, allumés maintenant toute la
journée, tendaient sur les pentes des écharpes
de fumée ; même la grande lumière de midi,
en ce moment, ne les résorbait pas ; elles
avançaient peu à peu à mi-chemin des montagnes, vers le sentier que suivaient les blancs,
sans le moindre vent : une avance humaine,
comme le piétinement assourdi d'une armée.
La fumée de chaque nouveau feu, plus menaçante que la précédente par sa position, montait verticalement, épaisse, avant que son
panache désagrégé ne rejoignît l'écharpe ; et
Claude regardait à un kilomètre en avant,
angoissé, attendant qu'une nouvelle fumée
montât, comme un tour de clef dans une
serrure.

« — Celle-ci va devenir un feu. Encore une
et nous ne passons plus. »

Perken ne rouvrait pas les yeux :

— Il y a des moments où j'ai l'impression
que cette histoire n'a aucun intérêt, dit-il
comme pour lui-même, entre ses dents.

— D'être coupé ?

— Non : la mort.

Au-delà des montagnes, le territoire de Perken défendu par elle, écrasé par la solitude de
ses crêtes sans feux. De l'autre côté, le che-

min de fer. Que Perken mourût, Claude serait rejeté aux bas-reliefs qui l'attendaient ; jamais les Stiengs seuls n'oseraient attaquer la ligne.

Perken plongeait dans l'hébétude. Tout près de ses oreilles, des moustiques croisaient leurs fins bourdonnements ; la douleur des piqûres, transparente, recouvrait comme un filigrane celle de la blessure. Elle montait et descendait elle aussi, envenimant la fièvre, contraignant Perken, pour qu'il parvînt à ne pas se toucher, à une lutte de cauchemar — comme si l'autre douleur eût été à l'affût de lui-même, avec celle-ci pour appeau. Un son de chair le surprit : c'étaient ses doigts fascinés par la brûlure des insectes qui tambourinaient convulsivement sur la charrette, sans qu'il s'en fût aperçu. Tout ce qu'il avait pensé de la vie se décomposait sous la fièvre comme un corps dans la terre ; un cahot plus brutal le ramenait à la surface de la vie. Il y revenait en cette seconde, tiré vers la conscience par la phrase de Claude et le mouvement en avant de la charrette, qu'il ne pouvait séparer ; si faible qu'il ne reconnaissait pas ses sensations, que cet intolérable réveil le rejetait à la fois dans une vie qu'il voulait fuir et en lui-même qu'il voulait retrouver. Appliquer

sa pensée à quelque chose ! il essaya de se
soulever pour regarder le nouveau feu, mais
avant qu'il n'eût bougé, une mine sauta,
loin devant lui : la terre retomba avec un
grand mouvement mou. Les chiens des Moïs
commencèrent à hurler.

« — Il n'y a que la colonne qui compte,
Claude. Tant que le chemin de fer ne sera
pas terminé, on pourra l'atteindre. Toutes les
communications sont en profondeur : il faudrait les couper assez loin en arrière, isoler
la tête de ligne, saisir les armes... Ça n'est
pas impossible... Pourvu que j'arrive ! Salo-
perie de fièvre... Quand j'en sors, je voudrais
au moins... Claude ?

— Je t'écoute, voyons.

— Il faudrait que ma mort au moins les
oblige à être libres.

— Qu'est-ce que ça peut te faire ?

Perken avait fermé les yeux : impossible
de se faire comprendre d'un vivant.

— Tu ne souffres de nouveau plus ?

— Sauf aux cahots trop durs. Mais je suis
trop faible pour que ce soit naturel... Ça va
recommencer... »

Il regarda la cime des montagnes, puis la
colline où la mine venait de sauter. Pour
fixer ses jumelles, il dut s'appuyer sur le
bois de la charrette ; sa tête ballottait de

droite et de gauche ; enfin il l'immobilisa.
« Maintenant, je ne pourrais même plus
tirer... »

Là-haut, les buffles apportaient les traverses que les Siamois faisaient basculer et
repartaient avec une sûreté de machine, tournant autour de la dernière comme Grabot
dans sa case. Chaque traverse qui tombait
sans le moindre son, comme dans un autre
monde, retentissait dans son genou. Ce n'était
pas seulement sur ses espoirs, mais sur son
vrai cadavre, sur ses yeux pourris, sur ses
oreilles mangées par la terre, que passerait
cette ligne qui avançait en bélier vers les
montagnes de l'horizon. Ces chutes de bois
sonore qui ne lui parvenaient pas, il les entendait, de seconde en seconde, dans les battements de son sang ; il savait à la fois que,
chez lui, il guérirait, et qu'il allait mourir,
que sur la grappe d'espoirs qu'il était, le
monde se refermerait, bouclé par ce chemin
de fer comme par une corde de prisonnier ;
que rien dans l'univers, jamais, ne compense-
rait plus ses souffrances passées ni ses souffrances présentes : être un homme, plus
absurde encore qu'être un mourant... De plus
en plus nombreuses, immenses et verticales
dans la fournaise de midi, les fumées des Moïs
fermaient l'horizon comme une gigantesque

grille : chaleur, fièvre, charrette, brûlures,
aboiements, ces traverses jetées là-bas comme
des pelletées sur son corps, se confondaient
avec cette grille de fumées et la puissance
de la forêt, avec la mort même, dans un
emprisonnement surhumain, sans espoir,
Au-delà du chant des moustiques, les chiens
maintenant hurlaient d'un bout à l'autre de
la vallée ; d'autres, derrière les collines,
répondaient ; les cris emplissaient la forêt
jusqu'à l'horizon, comblant de leur profusion
les espaces libres entre les fumées. Prisonnier, encore enfermé dans le monde des
hommes comme dans un souterrain, avec ces
menaces, ces feux, cette absurdité semblables
aux animaux des caves. A côté de lui, Claude
qui allait vivre, qui croyait à la vie comme
d'autres croient que les bourreaux qui vous
torturent sont des hommes : haïssable. Seul.
Seul avec la fièvre qui le parcourait de la tête
au genou, et cette chose fidèle posée sur sa
cuisse : sa main.

Il l'avait vue plusieurs fois ainsi, depuis
quelques jours : libre, séparée de lui. Là,
calme sur sa cuisse, elle le regardait, elle
l'accompagnait dans cette région de solitude
où il plongeait avec une sensation d'eau
chaude sur toute la peau. Il revint à la surface
une seconde, se souvint que les mains se

crispent quand l'agonie commence. Il en
était sûr. Dans cette fuite vers un monde aussi
élémentaire que celui de la forêt, une conscience atroce demeurait : cette main était là,
blanche, fascinante, avec ses doigts plus hauts
que la paume lourde, ses ongles accrochés
aux fils de la culotte comme les araignées
suspendues à leurs toiles par le bout de leurs
pattes sur les feuilles chaudes ; devant lui
dans le monde informe où il se débattait,
ainsi que les autres dans les profondeurs
gluantes. Non pas énorme : simple, naturelle,
mais vivante comme un œil. La mort, c'était
elle.

Claude le regardait : le hurlement des chiens
sauvages s'accordait à ce visage ravagé, pas
rasé, aux paupières abaissées, dont le sommeil
était si absent qu'il ne pouvait exprimer que
l'approche de la mort. Le seul homme qui eût
aimé en lui ce qu'il était, ce qu'il voulait
être, et non le souvenir d'un enfant... Il
n'osait pas le toucher. Mais la tête heurta
le bois de la charrette ; Claude la souleva,
la cala avec le casque, dégageant le front.
Perken ouvrit les yeux : le ciel l'envahit, écrasant et pourtant plein de joie. Quelques
branches sans insectes passaient entre le ciel
et lui, frémissantes comme l'air, comme la
dernière Laotienne qu'il eût possédée. Il ne

savait plus rien des hommes, plus rien même
de la terre qui dévalait sous lui avec ses
arbres et ses bêtes : il ne connaissait plus que
cette immensité blanche à force de lumière,
cette joie tragique dans laquelle il se perdait,
et qu'emplissait peu à peu le sourd battement
de son cœur.

Il n'entendait plus que lui, comme si lui
seul eût pu s'accorder à la fournaise qui
arrachait son âme à la forêt, comme s'il eût
seul exprimé la réponse obsédante de sa
blessure à ce ciel sacré. « Il me semble que je
me jouerai moi-même sur l'heure de ma
mort... » La vie était là, dans l'éblouissement
où se perdait la terre ; *l'autre*, dans le martèlement lancinant de ses veines. Mais elles ne
luttaient pas : ce cœur cesserait de battre, se
perdrait lui aussi dans l'appel implacable
de la lumière... Il n'avait plus de main, plus
de corps sauf sa douleur ; que signifiait le
mot : déchéance ? Ses yeux brûlaient, sous
ses paupières comme des lames. Un moustique se posa sur l'une d'elles : il ne pouvait
plus bouger ; Claude cala sa tête avec la
toile de tente, ramena son casque, et l'ombre
le rejeta en lui-même.

Il se revit, tombé ivre dans une rivière,
chantant à pleine gorge au-dessus du clapotement de l'eau. Maintenant aussi, la mort

était autour de lui jusqu'à l'horizon comme
l'air tremblant. Rien ne donnerait jamais
un sens à sa vie, pas même cette exaltation qui le jetait en proie au soleil. Il y avait
des hommes sur la terre, et ils croyaient à leurs
passions, à leurs douleurs, à leur existence :
insectes sous les feuilles, multitudes sous la
voûte de la mort. Il en ressentait une joie
profonde qui résonnait dans sa poitrine et
dans sa jambe à chacun des battements de
son sang aux poignets, aux tempes, au cœur :
elle martelait la folie universelle perdue dans
le soleil. Et pourtant aucun homme n'était
mort, jamais : ils avaient passé comme les
nuages qui tout à l'heure se résorbaient dans
le ciel, comme la forêt, comme les temples;
lui seul allait mourir, être arraché.

Sa main reprit vie. Elle était immobile,
mais il y sentait l'écoulement du sang dont
il entendait le son fluide qui se confondait
avec celui de la rivière. Ses souvenirs, eux
aussi, étaient là à l'affût, retenus par la demi-
crispation de ces doigts menaçants. Comme le
mouvement des doigts, l'envahissement des
souvenirs annonçait la fin. Ils tombe-
raient sur lui à l'agonie, épais comme ces
fumées qui venaient avec le son lointain des
tams-tams et les aboiements des chiens. Il
serra les dents, ivre de fuir son corps, de ne

pas abandonner ce ciel incandescent qui le
prenait comme une bête : une douleur épou-
vantable, une douleur de membre arraché
s'abattit sur lui du genou à la tête. Une galerie
l'attendait, prête à s'effondrer, profondément enfouie sous la terre... Il se mordit si
profondément que le sang commença à
couler.

Claude vit le sang sourdre entre les dents ;
mais la souffrance protégeait son ami contre
la mort : tant qu'il souffrait, il vivait. Soudain, son imagination le jeta à la place de
Perken ; jamais il n'avait été si attaché à sa
vie qu'il n'aimait pas. Le sang coulait en
rigoles sur le menton comme celui de la balle,
naguère, sur le gaur, et il n'y avait rien à faire
qu'à regarder ces dents rouges qui mor-
daient, et attendre.

« Si je me souviens, pensait Perken, c'est
que je vais mourir... » Toute sa vie était
autour de lui, terrible, patiente, comme
l'avaient été les Stiengs autour de la case...
« Peut-être ne se souvient-on pas... » Il guettait son passé autant que sa main ; pourtant,
malgré sa volonté et sa douleur, il se revoyait
jetant son Colt et marchant contre les Stiengs
sous la lumière diagonale du soir. Mais cela
ne pouvait annoncer sa mort : il s'agissait
d'un autre homme, d'une vie antérieure. Com-

ment vaincrait-il, en arrivant chez lui, ces mines qui martelaient sa fièvre? La souffrance revenant, il sut qu'il n'arriverait jamais chez lui, comme s'il l'eût appris du goût salé de son sang : il déchirait de douleur la peau de son menton, les dents brossées par la barbe dure. La souffrance l'exaltait encore; mais qu'elle devînt plus intense, et elle le transformerait en fou, en femme en travail qui hurle pour que s'écoule le temps; — il naissait encore des hommes par le monde... Ce n'était pas sa jeunesse qui revenait en lui, ainsi qu'il l'attendait, mais des êtres disparus, comme si la mort eût appelé les morts... « Qu'on ne m'enterre pas vivant! » Mais la main était là avec les souvenirs derrière elle, comme les yeux des sauvages l'autre nuit dans l'obscurité : on ne l'enterrerait pas vivant.

« Le visage a imperceptiblement cessé d'être humain » pensa Claude. Ses épaules se contractèrent; l'angoisse semblait inaltérable comme le ciel au-dessus de la lamentation funèbre des chiens qui se perdait maintenant dans le silence éblouissant : face à face avec la vanité d'être homme, malade de silence et de l'irréductible accusation du monde qu'est un mourant qu'on aime. Plus puissante que la forêt et que

le ciel, la mort empoignait son visage,
le tournait de force vers son éternel combat. « Combien d'êtres, à cette heure, veil-
lent de semblables corps? » Presque tous
ces corps, perdus dans la nuit d'Europe ou
le jour d'Asie, écrasés eux aussi par la vanité
de leur vie, pleins de haine pour ceux qui
au matin se réveilleraient, se consolaient
avec des dieux. Ah! qu'il en existât, pour
pouvoir, au prix des peines éternelles, hurler,
comme ces chiens, qu'aucune pensée divine,
qu'aucune récompense future, que rien ne
pouvait justifier la fin d'une existence humaine, pour échapper à la vanité de le hurler
au calme absolu du jour, à ces yeux fermés,
à ces dents ensanglantées qui continuaient à
déchiqueter la peau!... Échapper à cette
tête ravagée, à cette défaite monstrueuse!
Les lèvres s'entr'ouvraient.

« Il n'y a pas... de mort... Il y a seulement... *moi*...

Un doigt se crispa sur la cuisse.

... *moi... qui vais mourir...* »

Claude se souvint, haineusement, de la
phrase de son enfance : « Seigneur, assistez-
nous dans notre agonie... » Exprimer par
les mains et les yeux, sinon par les
paroles, cette fraternité désespérée qui le

jetait hors de lui-même ! Il l'étreignit aux épaules.

Perken regardait ce témoin, étranger comme un être d'un autre monde.

NOTE

La Voie Royale constitue le Tome premier des
Puissances du Désert, dont cette initiation tragique
n'est que le prologue.

CET OUVRAGE A PARU PRÉCÉDEMMENT DANS LES « CAHIERS VERTS », PUBLIÉS AUX ÉDITIONS BERNARD GRASSET, SOUS LA DIRECTION DE DANIEL HALÉVY; LE TIRAGE A ÉTÉ DE TROIS MILLE HUIT CENT QUATRE-VINGT-DEUX EXEMPLAIRES, DONT : SOIXANTE-DEUX EXEMPLAIRES SUR MADAGASCAR, NUMÉROTÉS MADAGASCAR I à 50 ET I à XII; CENT SOIXANTE-DIX EXEMPLAIRES SUR VÉLIN PUR FIL LAFUMA, NUMÉROTÉS VÉLIN PUR FIL I à 150 ET I à XX; TROIS MILLE SIX CENT CINQUANTE EXEMPLAIRES SUR ALFA SATINÉ NAVARRE, NUMÉROTÉS ALFA I à 3.300 ET EXEMPLAIRE DE PRESSE I à CCCL, ET EN OUTRE DOUZE EXEMPLAIRES SUR VÉLIN PUR FIL CRÈME LAFUMA, NUMÉROTÉS L. H. C. I à L. H. C. XII.

———

EXCEPTIONNELLEMENT, IL A ÉTÉ TIRÉ DE CET OUVRAGE, DANS LE MÊME FORMAT, SOIXANTE-SEIZE EXEMPLAIRES DONT : SEPT EXEMPLAIRES SUR VIEUX JAPON, NUMÉROTÉS VIEUX JAPON I à 5 ET I ET II; TRENTE-SIX EXEMPLAIRES SUR VÉLIN D'ARCHES, NUMÉROTÉS ARCHES I à 30 ET I à VI; SEIZE EXEMPLAIRES OR TURNER NUMÉROTÉS OR TURNER I à 10 ET I à VI; DIX-SEPT EXEMPLAIRES SUR HOLLANDE TIRÉS SPÉCIALEMENT POUR LES BIBLIOPHILES DU NORD.

LA PRÉSENTE ÉDITION (9ᵉ TIRAGE)
A ÉTÉ ACHEVÉE D'IMPRIMER LE
18 MARS 1961 POUR BERNARD
GRASSET ÉDITEUR A PARIS PAR
L'IMPRIMERIE FLOCH A MAYENNE
(FRANCE). NUMÉRO D'ÉDITION : 1473
DÉPOT LÉGAL : 4ᵉ TRIMESTRE 1930

(4768)